YESLAM

MON AMOUR

AU COEUR DE LA FAMILLE BEN LADEN

CATHERINE BERCLAZ

YESLAM
MON AMOUR

AU COEUR DE LA FAMILLE BEN LADEN

RÉCIT

Méridien
ÉDITIONS DU MÉRIDIEN

Berclaz, Catherine
**YESLAM MON AMOUR,
AU COEUR DE LA FAMILLE BEN LADEN**

www.yeslammonamour.com

Éditeur: François Martin
Coordination éditoriale: Michèle Lemieux
Collaborateurs: Jean Claude Bernheim, Roger-Paul Gilbert, François Martin
Montage: MCM/Compo-montage; Faustin Bouchard (photos et couverture)
Révision: Nicole Lapierre-Vincent, Roger-Paul Gilbert
Photo de l'auteure: Nicolas Berclaz, www.nicolasberclaz.ch

ÉDITIONS DU MÉRIDIEN

1980 ouest, rue Sherbrooke, suite 250,
Montréal (Qc) CANADA H3H 1E8
Téléphone: (514) 935-0464
Télécopieur: (514) 935-0521
meridien@groupeditions.ca

© **ÉDITIONS DU MÉRIDIEN**
ISBN 2-89415-306-6

Dépôts légaux: 3e trimestre 2006

NOTE AU LECTEUR

Dans les médias, l'usage le plus courant du patronyme *Ben Laden* a été rendu célèbre par l'un des fils de la famille, Oussama. Il faut savoir cependant que ce patronyme, traduit de l'arabe en lettres de l'alphabet, peut s'écrire de différentes manières. Sur certains passeports et papiers officiels, on a traduit le nom de famille tantôt par *Bin Ladin*, tantôt par *Bin Laden* et parfois même, ces patronymes ont été écrits en un mot. *Ben Laden* est l'une des manières de l'écrire. Dans le texte qui suit, nous avons préservé le nom de *Ben Laden* quand il est question de Oussama et de *Bin Ladin* lorsqu'il est question de Yeslam puisque c'est ainsi qu'est écrit son nom dans son passeport saoudien.

PROLOGUE

Si un jour, un mage indien surgit devant vous, qu'il vous prend la main pour y lire votre avenir, ne fuyez pas forcément ce personnage de conte de fées !

Je l'ai rencontré, je ne l'ai pas cru et pourtant il avait raison. Il me promettait que celui que j'aimais viendrait à moi mais que je ne devais pas précipiter les choses. J'étais trop impatiente et je ne l'ai pas écouté... Ce que j'ignorais, c'est qu'il me faudrait trouver le juste chemin avant de pouvoir vivre mon histoire d'amour avec le prince de Genève.

J'avais 24 ans, l'âge de l'amour et de l'innocence quand Yeslam, mon prince, me prit dans ses bras. Je ne savais pas que cet homme était l'un des enfants de la famille Bin Ladin et qu'il marquerait à jamais ma vie de femme.

Chapitre I

LE PRINCE DE GENÈVE

Souvenirs d'enfance – Au collège – Premier amour – Ma voie – Chez Lipp – Le prince de Genève – La cour du prince – Chacun est le bienvenu à sa table – Nous avons commencé à nous voir – Le pouvoir de l'argent – Les belles voitures et l'hôtel particulier – « J'ai quelque chose pour toi » –« Viens dormir avec moi… » – Le restaurant Bleu Rhône – Yeslam, un passionné – Prête… pas prêt – « Je t'offre trois mois de ma vie… »

C'est en Suisse, un soir d'automne, que je naquis. Mes parents m'appelèrent Catherine. J'ai grandi dans l'hôtel qu'ils exploitaient. C'était à la campagne, loin de la ville, j'allais à pied à l'école du village.

Souvenirs d'enfance

J'étais une petite fille gaie, espiègle ; j'avais toujours une chanson sur les lèvres. Avec Irène et Nathalie, mes meilleures amies, nous nous retrouvions très souvent dans une cabane abandonnée sur le terrain de l'hôtel. Nous cherchions un trésor fantastique et imaginions mille histoires extraordinaires. À onze ans, nous organisions des pique-niques et allions faire nos provisions dans les réfrigérateurs de l'hôtel ; nous sautions à pieds joints pour y attraper les gâteaux souvent entreposés sur les grilles

les plus hautes. Parfois, le chef nous préparait des sandwiches et sur nos vélos nous nous élancions à l'aventure dans les champs avoisinants.

Comme mes parents avaient fort à faire, je passais beaucoup de temps à jouer dans l'hôtel qui était comme un grand théâtre de la vie. Chaque jour, le rideau s'ouvrait sur des scènes différentes. J'ai rapidement observé que ce décor souvent festif masquait parfois des histoires de solitude, de désespoir, de mensonges. C'étaient comme de grands instantanés de vie, des flashes sur des situations dont je ne comprenais pas vraiment le sens. Cela aurait pu être violent pour la fillette que j'étais, mais inconsciemment, je me suis protégée de ce monde d'adultes.

La danse était ma forteresse. Dès l'âge de six ans, j'ai suivi des cours à Genève. C'était ma passion. Je voulais être danseuse étoile. Dès que j'avais un moment de libre, je me précipitais au sous-sol où j'avais toute la place pour répéter les enchaînements et créer mes propres chorégraphies. J'étais acharnée, je recherchais le mouvement parfait. Je vivais pour les spectacles que nous donnions à la fin de l'année. J'étais dans mon monde, heureuse, loin des réalités de la vie. Mais une malheureuse pirouette sur les pointes a eu des conséquences désastreuses, la rotule de mon genou a été abîmée lors de cette chute. J'avais quatorze ans. Ce jour-là, mes rêves se sont envolés, il n'était plus question d'être danseuse étoile. Je n'avais plus d'envie et rien de particulier ne m'intéressait à l'école.

Heureusement, Nathalie avait emménagé dans une maison juste en face de l'hôtel. Nous passions toutes nos journées ensemble. Elle était très secrète, mais elle me fit entrer dans son monde. Elle avait une passion pour le cinéma, particulièrement pour les films français. Ses comédiens fétiches étaient Alain Delon et Yves Montand. Elle connaissait par coeur quasiment tout le répertoire d'Yves Montant. J'ai encore à l'oreille "À bicyclette" qu'elle chantait sans cesse. Avec elle, j'avais l'impression de pouvoir aller au bout du monde. Nous partions en expédition sur son vélomoteur, des rêves plein la tête.

***

Au collège

Ma mère m'avait convaincue de continuer mes études. Elle m'avait fait comprendre que cela me permettrait de choisir et d'exercer un métier que j'aimerais. Avec Irène et Nathalie, j'ai donc poursuivi mes études au Collège Calvin de Genève. Simplement, nous n'étions plus dans les mêmes classes et nous ne nous voyions plus autant.

Quand je rentrais le soir du collège, je retrouvais tout l'univers de l'hôtel. Je suivais le spectacle incessant du jeu des mensonges, des fausses promesses et des trahisons. Adolescente, je n'avais déjà plus beaucoup d'illusions sur la nature humaine. Je préférais fuir tout cela et rejoindre mes nouveaux amis avec lesquels je sortais. De plus en plus, je me rendais seule dans les discothèques. J'étais à l'aise dans ce milieu dont je connaissais les codes et le fonctionnement. J'ai fini par sympathiser avec tous ceux qui travaillaient dans ce monde de la nuit. J'avais trouvé une autre famille et je me savais protégée. J'appréciais de me retrouver noyée dans la foule. J'aimais ces nuits sans fin. Je ne voulais qu'une chose, danser, danser, danser...

Trois ans plus tard, en sortant du collège, j'ai retrouvé Nathalie dans la cour. J'étais si heureuse de la voir. Tous nos souvenirs d'enfance ressurgissaient. Elle m'avait manquée et j'étais envahie par le sentiment que nous devions absolument passer des moments ensemble. Mais nous décidâmes sagement de nous retrouver à la fin des examens, une semaine plus tard, pour profiter pleinement l'une de l'autre.

Trois jours plus tard, j'entendais à l'hôtel des policiers qui parlaient de la disparition d'une jeune fille. Ses parents la faisaient rechercher. Le lendemain, ma mère m'apprit qu'on l'avait retrouvée, morte. Elle s'était suicidée. Je ne comprenais pas qu'on puisse s'ôter la vie. Délicatement, ma mère me fit comprendre qu'il s'agissait de Nathalie. C'était impossible, il devait y avoir une erreur car nous nous étions fixé rendez-vous quelques jours plus tard et je ne pouvais imaginer qu'elle ne puisse être là. Au fil des heures, j'ai compris que je ne la reverrais plus. Je me réjouissais tellement de pouvoir lui dire le bonheur de nos souvenirs communs. J'avais envie de partager à nouveau avec elle des moments privilégiés. J'avais le vertige. J'étais déchirée. Je n'avais jamais été confrontée à la mort. Je regrettais tellement de ne pas avoir pu lui dire tout ce que je ressentais pour elle. Pour la première fois, je pris conscience que j'avais eu l'intuition d'une urgence que j'avais repoussée.

J'étais perdue. La douleur était trop forte, je devais sortir de l'hôtel où j'étouffais. J'ai attrapé mon vélomoteur et je suis partie sur les petites routes de campagne. J'ai roulé au hasard, peut-être deux, trois heures. Je cherchais nos souvenirs, nos éclats de rire. Tout ce que je voulais retrouver avec elle s'envolait loin de moi. Alors j'ai eu envie de retourner à Saint-Louis, l'école de notre enfance. Je voulais parler à quelqu'un qui nous avait connues. C'était la fin de la journée et l'abbé Blanc m'a reçue dans son bureau. Je lui ai parlé de Nathalie. Je me souviens juste qu'il a su trouver les mots pour m'apaiser. Combien de temps je suis restée avec lui, je ne m'en rappelle pas. Lorsque je suis repartie, le jour déclinait rapidement. Je ne voulais pas rentrer chez moi, je me suis promenée encore longtemps dans cette campagne qui avait été le témoin privilégié de notre enfance et des jours d'insouciance.

C'était injuste. La mort de Nathalie était encore irréelle, mais j'allais devoir apprendre à vivre avec la souffrance, l'absence et les souvenirs. Longtemps j'ai cru que si nous nous étions vues plus tôt, cela aurait peut-être évité son geste. Aujourd'hui, je sais que nous n'avons pas toujours dans nos mains le pouvoir de modifier les choses et qu'il faut apprendre à les accepter. Mais de ce jour-là, j'ai gardé la crainte de laisser passer quelqu'un sans lui dire ce que je ressens. C'est une nécessité, une évidence. Je ne peux que saisir le moment parce que je sais que la vie est éphémère et que je dois suivre mes intuitions.

***

Premier amour

L'été qui suivit, je partis comme d'habitude en Espagne. J'avais vécu une première perte qui m'avait anéantie. J'étais triste, mais la vie était plus forte que tout. J'ignorais que j'allais vivre ma première histoire d'amour.

Un soir, l'une de mes amies, Britta, une allemande, insista pour que je sorte avec elle. À Tossa, tous les jeunes faisaient la tournée des bars à tapas et des discothèques. C'étaient des nuits sans fin, éclatantes de joie, de rires, de musique et de danse. Au cours de notre circuit, nous nous assîmes un moment sur une très vieille Citroën de couleur orange. Je demandais à Britta, sur un ton moqueur, qui pouvait avoir aussi mauvais goût !

Nous avons fait le tour de plusieurs boîtes de nuit où nous avons dansé comme des folles et où nous avons retrouvé les amis espagnols, belges, hollandais, italiens, français avec lesquels nous passions nos journées sur les plages.

Alors que nous arrivions au "Catxa", Britta me présenta Pedro. Il dégageait une énergie incroyable. Je me souviens de cette chemise à col Mao qu'il portait et qui mettait en valeur son beau visage bronzé. Alors que je m'élançais sur la piste de danse, je sentis peser sur moi un regard. Pedro était à mes côtés et ne me quittait pas des yeux.

Nous nous assîmes sur une banquette et, tout à coup, nous fûmes surpris par l'aube. Le flot des paroles avait brisé la barrière du temps. Pedro proposa de me déposer chez moi et de me présenter quelque chose d'important pour lui. Après quelques détours dans les ruelles de Tossa, à un coin de rue, il me dit « Voilà, je te présente ma Carotte ! ». C'était l'horrible Citroën orange qui avait subi mes moqueries quelques heures plus tôt ! Je ne me doutais pas que nous ferions des milliers de kilomètres à travers l'Europe dans cette voiture qu'il affectionnait tant et que j'adopterais à mon tour...

Dans sa « Carotte », il m'emmena au sommet d'une colline pour admirer la mer qui rosissait sous les premiers rayons du soleil. De sa voiture s'échappait la voix de Grover Washington JR. "Just the two of us" tintait encore à mes oreilles quand il me laissa devant chez moi. J'allai me coucher, un peu rêveuse; moi, qui suis une dormeuse exceptionnelle, je n'ai pas réussi à trouver le sommeil. J'étais dans un état que je ne comprenais pas. Je ne pouvais pas mettre de mots sur ces sensations que je n'avais jamais ressenties.

Je finis par m'endormir et lorsque je m'éveillai à midi sous un soleil éclatant, j'éprouvais un manque incroyable. Alors effrayée, je compris qu'un coup de foudre m'avait frappée. Je n'avais jamais été amoureuse...

Les jours suivants, nous arpentions tous les deux les ruelles de Tossa afin de nous retrouver. Mais dès que nous étions ensemble, j'évitais soigneusement d'évoquer ces émotions qui me dépassaient. Je craignais cette force inconnue que je ne maîtrisais pas, mais je ne pouvais m'empêcher de le revoir. Quelques jours plus tard, Pedro me parla de ce qu'il éprouvait. Il était amoureux, mais il me sentait si craintive qu'il n'osait faire un geste de peur de me voir disparaître. Eprouvais-je la même chose ? Je ne pouvais plus fuir...

Je n'avais pas encore dix-huit ans et quelques mois plus tard nous partagions le même appartement. La vie m'offrait le meilleur comme pour me faire oublier les tableaux de mon enfance. C'était magique. Notre amour avait un goût d'absolu. Ce fut une histoire merveilleuse même si elle prit fin deux ans plus tard. J'étais jeune, mais elle m'a laissé une trace déterminante pour ma vie future. Je savais que je ne pourrais vivre que des relations fortes sinon je préférerais rester seule. Mais si jamais un jour la vie m'offrait une nouvelle chance, alors je la saisirais.

***

Ma voie

Tout au long de mon enfance et de mon adolescence, j'avais ressenti les émotions et les souffrances des gens. J'avais observé leur comportement et j'avais envie de les aider à mieux vivre. Je voulais donc suivre des études en psychologie. Mais contrairement à

Nathalie qui avait été une élève brillante, j'avais moins de facilité pour étudier. Je me sentais incapable de suivre les cours de statistiques et de physique. Il me fallait trouver une autre voie.

J'ai alors choisi celle de l'hôtellerie, domaine qui m'était familier. Depuis toujours je travaillais à l'hôtel. J'ai réussi le concours de l'Ecole Hôtelière de Lausanne, école que deux de mes oncles avaient fréquentée et j'y ai étudié de 1989 à 1993. L'hôtellerie était donc devenue pour moi la voie dans laquelle je m'engageais naturellement.

***

Chez Lipp

À l'âge de vingt-deux ans, à la fin du deuxième cours à l'École Hôtelière, j'ai dû effectuer un stage de service pour compléter l'année d'études. Un ancien de l'École, Thomas, m'avait suggéré d'aller tenter ma chance à la célèbre brasserie Lipp de Genève, où il avait lui-même déjà travaillé.

Le format du stage était différent de ceux normalement proposés dans les autres établissements. Au lieu de passer cinq mois à faire du service, je travaillerais à l'administration dans les bureaux au-dessus de la brasserie excepté le mercredi et le dimanche. Ces jours-là, je remplacerais la préposée à l'accueil à l'entrée de la brasserie. Je devrais recevoir les clients, m'occuper de leur vestiaire et les conduire à leur table. Je trouvais cette formule plus enrichissante.

Monsieur Escher, le directeur et l'un des propriétaires de la brasserie, était un ancien de l'Ecole Hôtelière qui appliquait dans son travail tous les enseignements de Lausanne. Je voyais exactement l'utilité de ce que j'avais appris en cours. Dans cet établissement, rien n'est laissé au hasard, chaque détail est étudié. J'ai eu la chance d'apprendre avec son bras droit, Christophe, qui était non seulement efficace mais aussi très disponible. Il m'a appris à être méthodique, rigoureuse et à anticiper. Il m'a responsabilisée dans mes fonctions en me déléguant des tâches.

Lors de ma première journée à la Brasserie Lipp, je n'aurais jamais pu me douter que je ferais là une rencontre qui bouleverserait ma vie…

***

Le prince de Genève

C'était au printemps de l'année 1991, nous étions un mercredi du mois de mars, le service de midi touchait à sa fin et j'étais, ce jour-là préposée à l'accueil, derrière mon petit pupitre. Le restaurant avait une grande terrasse vitrée comme on en trouve à Paris.

Me sentant observée, je me suis retournée et j'ai vu un client assis à une table qui me souriait gentiment. Je ne le connaissais pas. Il portait de petites lunettes rondes. Il dégageait beaucoup de douceur. Je croyais qu'il était indien et cela me plaisait ; depuis toujours l'Inde me fascinait.

J'ai poursuivi le service à mon pupitre. À la fin de son déjeuner, l'homme aux petites lunettes est venu vers moi et je lui ai rendu son manteau. Après quelques mots échangés, il m'a invitée à le retrouver quelques jours plus tard au Arthur's, une discothèque située près de l'aéroport de Genève. J'étais intriguée par cet homme, je le trouvais mystérieux. Il y avait comme une évidence, cette rencontre devait avoir lieu. Je lui ai répondu que j'y serais.

Un contretemps m'empêcha d'aller au rendez-vous le samedi suivant. Pour le prévenir, j'essayai de téléphoner à la discothèque, mais la ligne était constamment occupée. Quelques jours plus tard, chez Lipp, j'eus la surprise de le voir se diriger vers moi; gentiment il me souligna qu'il m'avait attendue au Arthur's alors qu'il était malade le soir du rendez-vous. Je lui ai expliqué que j'avais tenté de le joindre, mais en vain. Nous avons continué à bavarder de choses et d'autres avant de convenir d'une nouvelle rencontre. Il m'a alors fait promettre de ne pas lui faire faux-bond… j'ai souri et répondu que j'y serais.

Lorsqu'il est parti, l'un des serveurs, impressionné et ébahi, m'a demandé pour quelles raisons « le prince » m'avait parlé. J'ai alors réalisé que tous le connaissaient de vue. J'ignorais qu'il était un habitué de chez Lipp, la table numéro 14 lui était attribuée quand il venait. J'ai été surprise d'apprendre qu'il était saoudien et non indien. D'après eux, il était toujours accompagné de magnifiques jeunes femmes. Mes collègues n'en revenaient pas de me savoir invitée par celui qu'ils surnommaient « le prince ».

J'étais étonnée de leurs réactions, j'avais l'impression qu'ils s'inventaient une histoire. C'était Yeslam Bin Ladin.

***

La cour du prince

Le samedi suivant, j'ai retrouvé Yeslam au *Arthur's*. À sa table, il y avait environ une dizaine de personnes qui ne se connaissaient pas forcément. Elles étaient de nationalités diverses : libanaise, française, américaine, italienne, suisse, allemande, sud-américaine, etc.

Charles, son plus vieil ami suisse, était là. Les deux hommes s'étaient connus en 1976, à Genève, alors que le père de Charles, qui dirigeait une agence immobilière, avait loué une maison à la future belle-mère de Yeslam. Charles ignorait que son ami était revenu à Genève en 1986. C'est deux ans plus tard qu'ils se sont croisés par hasard dans la rue, et depuis ils sont inséparables. Bien qu'ils se connaissent depuis longtemps, Charles persiste à vouvoyer Yeslam. En dehors de sa mère, de sa sœur et de ses deux frères, Charles est celui qui est le plus proche de Yeslam.

Les jeunes femmes dans l'entourage de Yeslam ne s'intéressaient pas vraiment à moi. Par la suite, lorsqu'elles se sont aperçues que j'étais souvent invitée à sa table, elles ont voulu savoir d'où je venais, ce que je faisais dans la vie, comment j'avais rencontré Yeslam et ce que j'espérais de lui. Il y avait une réelle compétition entre elles!

Très rapidement, j'ai saisi qu'il y avait un noyau constitué de ceux que j'allais revoir, tandis que les autres n'étaient que de passage. Je découvrais « sa cour ».

***

Chacun est le bienvenu à sa table

Afin de sauvegarder son intimité et de protéger sa vie privée, Yeslam préfère recevoir le plus souvent les gens à l'extérieur. Être invité à sa table, c'est forcément rencontrer beaucoup de monde. Comme il a le contact facile, il réunit autour de lui, non seulement ses amis, mais aussi de nouveaux venus. J'ai rencontré des personnes de milieux et d'horizons très différents. Je m'asseyais et j'observais. Il me faut toujours un temps d'adaptation avant de prendre ma place. J'ai appris à décoder les regards, les non-dits, les désirs inavoués. Je découvrais les différents types de liens que Yeslam entretenait avec les gens. Très vite, je me suis rendu compte que certains n'étaient là que par intérêt, pour profiter de ses largesses. J'avais sous les yeux un monde fait de faux-semblants et je retrouvais des scénarios identiques à ceux du monde de la nuit. Une vraie parade !

Je me suis aperçue que Yeslam faisait en sorte d'avoir à ses côtés des proches, de telle sorte que, si parmi les nouveaux venus, certains l'importunaient, ils étaient alors absorbés par le groupe. Être très entouré est pour lui une situation normale car elle fait partie de sa culture orientale. Il m'a expliqué qu'en Arabie c'est un devoir d'accueillir tous les visiteurs qui demandent à être reçus.

À de rares occasions, j'ai rencontré des personnes authentiques, sans attente particulière envers Yeslam. Elles restaient elles-mêmes, naturelles. De cette époque, j'ai gardé très peu de contacts.

***

Nous avons commencé à nous voir

Nous avons commencé à nous fréquenter, à sortir, à faire la fête plusieurs fois par semaine. Le mercredi et le dimanche, il déjeunait chez Lipp, jours où je travaillais à l'accueil. Souvent à la fin du service nous discutions un petit peu, ce qui attisait de plus en plus la curiosité des serveurs. Pour eux, nous étions les personnages d'un conte, « Le prince et la stagiaire ». Très rapidement je lui ai dit que tout le monde l'appelait le prince, je voulais savoir si c'était vrai. Il a ri et m'a expliqué qu'il n'avait aucun lien avec la famille royale Al Saoud. Lorsque j'ai précisé à toute l'équipe du restaurant qu'il n'était pas prince, personne ne m'a crue. Le mythe était plus fort que la réalité. Pour eux, Yeslam restait « le prince ».

Régulièrement, nous dînions dans des pizzerias ou dans les meilleurs restaurants de Genève. Quand l'établissement était plein, on s'organisait toujours pour lui trouver de la place. J'appréciais ces moments où nous étions seuls, sans sa cour. Là, Yeslam était accessible, nous pouvions discuter à bâtons rompus mais il restait très réservé sur sa vie privée.

J'aimais être avec lui, sa personnalité me plaisait. Nous riions beaucoup et nous nous racontions nos vies. Nous étions bien ensemble. Une belle amitié était en train de naître. Très rapidement, il m'a dit qu'il vivait séparé de sa femme dont il avait eu trois filles qui vivaient et étudiaient à Genève. Il m'a demandé si un homme partageait ma vie, ce qui n'était pas le cas.

***

Le pouvoir de l'argent

Lorsque je le retrouvais parmi sa cour, je remarquais que fréquemment les hommes étaient impressionnés. Yeslam étant peu loquace, ils ne savaient pas trop comment se comporter avec lui. Ils étaient un peu gauches et empruntés, mais je pouvais voir de l'admiration dans leurs yeux. Parfois, certains agissaient comme les princes qu'ils auraient aimé être. Ils commandaient bouteille sur bouteille et se permettaient de rabrouer les serveurs. Cependant, rares étaient ceux qui réglaient l'addition... Leur personnalité se révélait comme si, n'étant pas en mesure d'avoir la vie dont ils rêvaient, ils revêtaient maladroitement les habits d'un prince, le temps d'une soirée. Ils en oubliaient l'éducation, la politesse et le respect. C'était grotesque et pitoyable.

Je découvrais combien les gens pouvaient être fascinés par l'argent et le pouvoir sensé en découler. Il leur fallait absolument entrer dans le cercle de Yeslam comme si cela conférait une sorte d'aura sociale. Et pour obtenir l'invitation escomptée, rien ne semblait les arrêter.

Yeslam m'a montré comment vivre dans ce monde d'argent, sans qu'il faille s'offenser de ceux qui ne sont là que pour profiter, puisque ce trait fait partie de la nature humaine. Lorsqu'ils comprennent qu'ils n'ont rien à gagner, ils disparaissent de son entourage. Parfois la situation me pesait et je ne supportais pas de voir cette comédie humaine. Chacun ne songeait qu'à défendre sa position auprès de lui; je ne sentais ni ouverture ni curiosité sur l'autre. Yeslam me fit comprendre que l'argent est un révélateur qui met rapidement à jour la véritable personnalité de chacun. Quand je le vois évoluer dans ce monde, il me fait penser à un sage qui apprécie ce que la vie lui donne et qui a de la compréhension face à l'attitude exagérée des gens. Il respecte et apprécie chaque personne à sa juste valeur, avec ses qualités et ses défauts.

***

Les belles voitures et l'hôtel particulier

Quand nous avions rendez-vous, Yeslam avait la délicatesse de venir me chercher chez mes parents. Il était toujours au volant de sublimes voitures. Je me souviens en particulier d'une Porsche cabriolet et d'une vieille Lamborghini rouge qui avait un bruit de moteur incroyable. Tout le monde se retournait à la vue de cette voiture absolument pas discrète...

Quand nous rentrions au petit matin, il me demandait parfois de prendre le volant et de le ramener chez lui. Il me laissait sa voiture quelques jours. Je troquais alors ma Coccinelle contre une Porsche cabriolet. La première fois qu'il m'a donné les clés de sa Porsche, je suis revenue un quart d'heure plus tard en lui disant que je n'avais pas trouvé le contact… Parce que dans la Porsche, le contact se trouve à gauche et non à droite du volant ! Il s'amusait de me savoir au volant de ses voitures. Ce qu'il ignorait, c'est que parfois j'avais peur dans ces bolides et que je craignais d'en démolir un. Jamais je n'aurais pu le remplacer…

Un jour, après lui avoir ramené sa voiture, il m'a invitée chez lui, en Vieille-Ville, dans son hôtel particulier. J'ai découvert une résidence imposante, construite aux environs de 1880, qui se divise en plusieurs appartements ; des bureaux occupent à eux seul tout un étage. À cette époque, il avait décidé de le mettre en vente, mais comme c'est un endroit assez exceptionnel, il est revenu sur sa décision et a choisi de le garder.

***

« J'ai quelque chose pour toi »

Quand on se voyait, il me racontait les soirées auxquelles il avait assisté. C'était souvent des galas de charité, des vernissages, des dîners d'ambassades. Il sortait toujours avec le même groupe d'amis.

Un jour, il m'a offert de l'accompagner au défilé de mode d'une créatrice genevoise. Après le dîner, nous avons parlé des vêtements que nous avions vus. Une petite robe bleue était le modèle que j'avais préféré. J'ai réalisé que Yeslam se souvenait uniquement des tenues de son mannequin préféré !

Une semaine plus tard, il me téléphonait pour me dire qu'il voulait absolument prendre un café avec moi. Je l'ai rejoint au *Corso a Rive*. « J'ai quelque chose pour toi », m'a-t-il dit, en me tendant un sac. À l'intérieur, il y avait la robe bleue pour laquelle j'avais craqué. Il l'avait commandée spécialement pour moi, à ma taille et m'en faisait cadeau. Je n'en croyais pas mes yeux ! Il avait retenu ce que j'avais dit ! Je ne sais pas lequel de nous deux était le plus heureux, ses yeux brillaient de plaisir. Cette robe, je l'ai toujours. Je n'arrive pas à m'en séparer...

***

Viens dormir avec moi...

Après quelques mois de cette relation amicale, j'éprouvais pour lui des sentiments différents. J'étais sensible à sa douceur, à son charme. Quand nous étions ensemble, tout semblait évident. Je savourais chacun de ces moments mais sans jamais oser lui parler de ce que je ressentais. Je gardais ce secret pour moi. En voyant toutes ces femmes papillonner autour de lui, je ne pensais pas l'intéresser. Pourtant un soir, Yeslam m'a invitée à passer la nuit chez lui. J'étais si surprise que je lui demandai s'il était amoureux de moi. « Non» m'a-t-il répondu. J'étais choquée. Je ne pouvais m'imaginer dans ses bras sans amour. Pour la première fois nous nous affrontions. J'étais déçue qu'il n'ait pas su voir ce que je voulais pour nous.

Je refusais de toutes mes forces une liaison qui serait sans issue.

Au volant de ma coccinelle, je me suis mise à pleurer. J'étais effondrée et triste. De colère, j'ai sciemment brûlé un feu rouge. Une voiture de police m'a rattrapée et l'un des policiers m'a ordonné de me garer sur le côté. Il m'a demandé si je savais que j'étais passée au feu rouge. « Oui » lui ai-je répondu en sanglotant. Après tout, plus rien n'avait d'importance. Le policier était stupéfait puis embarrassé par mes pleurs, il m'a demandé ce que j'avais. « C'est à cause d'un homme ! » lui lançai-je. Surpris il m'a laissé repartir comme une petite fille, en me faisant promettre de rentrer directement chez moi.

Le lendemain matin, Yeslam s'est présenté chez mes parents sous prétexte de me conduire au travail. J'étais étonnée de le voir là. Je lui en voulais. Toute la nuit, je m'étais remémoré ces couples sans amour que j'avais croisés à l'hôtel. J'avais vu tellement d'histoires d'un soir, juste pour combler une solitude, que je ne pouvais accepter de vivre la même chose. Je voulais le meilleur sinon rien. J'ai refusé qu'il m'accompagne. Mais il était si déterminé que je suis finalement partie avec lui. Dans la voiture, il m'a avoué qu'il était attristé par cette première dispute et qu'il désirait avant tout préserver notre amitié. Sa façon de revenir vers moi en toute simplicité me touchait.

J'ai alors compris que nous demeurerions proches. Je ne souhaitais vraiment pas que nous cessions de nous voir. J'avais le sentiment que nos vies étaient liées et que notre rencontre ne s'était pas produite par hasard. Cette querelle ne devait pas empêcher cette belle amitié, même s'il y avait une femme dans sa vie ou un homme dans la mienne. Nous nous sentions unis par un lien particulier qui allait subsister encore longtemps.

***

Le Restaurant Bleu Rhône

Au mois de septembre 1991, je suis rentrée à Lausanne pour y poursuivre mes études. Nous avions pris l'habitude de nous voir plusieurs fois par semaine. Je m'étais attachée à lui et, pour la première fois, j'ai ressenti le manque.

Heureusement, nous nous retrouvions chaque week-end à Genève. Nous déjeunions au *Bleu Rhône*, un restaurant que ma tante Karin et son ex-mari Edmond venaient d'ouvrir. Elle a tout de suite apprécié Yeslam ; la communication se faisait facilement entre eux. Elle le trouvait galant, discret et si elle avait été plus jeune, elle aurait sûrement craqué pour lui ! Il y avait toujours une dizaine de personnes qui nous rejoignaient. C'était très animé. Le soir, nous faisions tous la fête et le dimanche après un lunch tardif, je repartais pour Lausanne. Il m'arrivait aussi de le rejoindre à Megève pendant la saison de ski, et nous allions déguster une crêpe en fin de journée.

***

Yeslam, un passionné

Peu à peu, j'ai découvert son monde. Bien sûr j'avais déjà remarqué sa passion pour les voitures. Jamais il ne manquait la diffusion des Grands Prix de Formule 1. Il m'a appris que lorsqu'il était en Suède, il courait sur une Porsche GT. Plus tard il me fera partager sa passion. À chaque nouvelle voiture, il me demandait de l'essayer et de lui donner mes impressions. Cela me faisait rire, je n'y connaissais évidemment rien. Il me les prêtait toutes sans exception, que ce soit la Porsche, la Golf, l'Audi, la BMW, la Mercedes ou la Ferrari...

En 1969, Yeslam était allé en Suède pour obtenir un diplôme en « Business Administration » et en comptabilité à l'université de Göteborg. Il avait ainsi appris le suédois en assistant aux cours. Aujourd'hui il parle l'arabe, le français, l'anglais, et, même s'il n'a plus souvent l'occasion de parler le suédois, il le comprend toujours. Un jour, dans un restaurant, je fus étonnée de l'entendre converser avec deux touristes suédoises. Il avait l'art de me surprendre.

J'ai découvert un homme aux champs d'intérêts très diversifiés. Il s'adonnait à la peinture et à l'aquarelle. Il avait une préférence pour les paysages. Certains de ses tableaux sont accrochés aux murs de son appartement.

La première fois qu'il est venu en Suisse, en 1973, c'était pour suivre des cours de photographie à Genève et y passer ses vacances. Sa mère, sa sœur Fawziah et ses frères, Ibrahim et Khalil l'avaient rejoint et en avaient profité pour visiter les Alpes, la région d'Interlaken et les Grisons. De cette période, il a gardé deux appareils photos, un Leica et un Hasselblad. Aujourd'hui l'un de mes cousins travaille avec son Hasselblad. Plus tard, il apprendra le chant avec Brett, un professeur américain qui enseigne à Genève. Parallèlement à ses cours, il s'est mis à la guitare.

Lorsqu'à mon tour, je pris des cours avec Brett, nous nous amusions à chanter à tue-tête des airs d'opéra sur les télésièges avant de dévaler les pistes de ski de Megève. Malheureusement aujourd'hui il ne se consacre plus à ces activités, faute de temps. J'étais impressionnée par sa curiosité, sa facilité à apprendre. C'est un trait de caractère que j'allais retrouver chez ses frères et soeurs.

***

Prête... pas prêt

De plus en plus je m'attachais à lui. J'étais amoureuse. J'aimais lui apporter des fleurs. Il faisait partie de ma vie. Cependant je savais qu'il était avec une jeune femme et comme je ne voulais pas m'immiscer dans leur vie, je conservais mes distances. Finalement, après une première rupture, ils se sont séparés pour de bon.

En août 1992, les sentiments que je lui portais étaient tels que je lui ai écrit. J'avais la conviction qu'il devait savoir que je l'aimais. Je savais depuis Nathalie que la vie pouvait me jouer des tours et je ne voulais pas regretter de ne pas avoir osé dévoiler mon amour. Mais il ne m'a pas répondu.

Cinq jours plus tard, alors que j'effectuais mon troisième stage de formation dans une société de la rue Céard, je vis apparaître dans mon bureau un Indien coiffé d'un turban bordeaux. Il voulait parler au directeur, mais celui-ci était absent. Alors il s'approcha de moi et me saisit le poignet. J'étais affolée, sur le point de partir en courant. Il retourna ma main, la regarda et me dit en anglais : « Vous avez écrit une lettre et vous attendez la réponse. Cet homme vous aime, il viendra vers vous, mais vous devez encore être patiente ». J'étais interloquée, comment pouvait-il lire dans mes pensées ? Puis il me donna quatre amulettes et me dit qu'elles me porteraient bonheur. Il m'a saluée et a disparu comme dans un rêve. J'étais sur un nuage et ne savais plus que penser.

Quelques jours plus tard, malgré les conseils de ce mystérieux mage, j'insistai pour que Yeslam me parle. Je voulais absolument savoir à quoi m'en tenir. J'étais têtue. Il finit par me dire qu'il ne se sentait pas prêt pour une nouvelle histoire d'amour. Il venait tout juste de mettre fin à une relation et il appréciait bien sa nouvelle vie de célibataire. Je lui ai répondu que je comprenais son point de vue et que je respectais son choix. J'étais déçue une fois de plus. Finalement les prédictions du mage n'étaient qu'illusions.

Aujourd'hui, je pense que Yeslam avait compris ma quête d'absolu et qu'il ne souhaitait pas profiter de la situation et me faire souffrir. Nous avons continué à nous voir régulièrement. Malgré l'amitié qui nous liait, Yeslam restait assez secret sur sa vie. Un jour, je me permis de lui demander pourquoi il passait tant de temps à Genève. Même l'été, il ne quittait jamais la ville. Je ne voulais pas être indiscrète, mais je voyais bien qu'il avait largement les moyens de voyager, de s'offrir une existence plus agréable.

Il a évoqué l'attitude de plusieurs de ses proches qui l'avaient déçu par le passé, tant dans sa vie professionnelle que dans sa vie privée. Ces différends avaient provoqué une hantise des déplacements, lui qui avait parcouru le monde librement. Tout était devenu plus difficile pour lui, notamment faire face à tout nouveau problème.

Yeslam m'apprit que cela faisait des années qu'il n'était plus retourné chez lui, en Arabie Saoudite. Je sentais qu'il était encore vulnérable. Il recommençait à profiter de la vie, même s'il ne voyageait pas encore.

***

Je t'offre trois mois de ma vie

Je me souviens encore aujourd'hui de ce jour où il se livra. J'étais touchée qu'il me fasse confiance et me dévoile ses blessures. En l'écoutant, je me suis imaginée à sa place. J'aurais aimé être soutenue si cela m'était arrivé. Alors d'un seul élan, je lui ai proposé de lui donner trois mois de ma vie. Je compris au plus profond de mon âme qu'on m'avait sans doute placée sur son chemin pour l'aider à retrouver la liberté de voyager. Je devais d'abord terminer mes études en février 1993, puis je serais libre. S'il acceptait, je pourrais être à ses côtés pour l'accompagner.

Soudain, je me suis sentie mal à l'aise. Il était si entouré qu'on lui avait sans doute déjà proposé de l'aide. Avait-il parlé de ce sujet avec ses amis ? Avait-il réfléchi à une solution ? Il m'avoua n'avoir jamais confié son histoire à quiconque. Personne autour de lui ne semblait avoir remarqué qu'il ne quittait que rarement Genève.

Yeslam était surpris et touché que je m'intéresse à lui et que je lui offre de mon temps. C'était sans doute la première fois qu'il se racontait aussi intimement. Cela faisait presque deux ans que nous nous connaissions. Il pouvait se risquer à me faire confiance et il accepta ma proposition.

Mon amie, Irène, avait eu un problème semblable. Du jour au lendemain, elle avait été incapable de prendre l'avion, le métro ou le train. Elle vivait alors en Allemagne et j'étais partie la chercher en voiture à Hambourg pour la ramener à Genève. Cette aventure humaine m'a permis de mieux comprendre Yeslam. Je savais que ses difficultés à voyager ne disparaîtraient pas en un jour mais qu'au fil du temps, elles pourraient s'estomper. J'avais envie d'essayer. Je me sentais enfin utile, et je savais que je saurais l'accompagner sur ce chemin.

Cela me paraissait plus gratifiant que de passer mes journées à travailler dans un bureau.

L'un de ses rêves était de pouvoir contempler à nouveau un coucher de soleil sur la mer. Cela faisait six ans qu'il ne voyageait plus. Désormais nous avions un but. Cet homme, je l'aimais et nous irions ensemble à Cannes, voir la mer, puis je reprendrais ma route vers ma destinée.

Chapitre 2

EN COUPLE

*Premier baiser — En juin 1993, je me suis installée chez lui
— Intégrée à la famille Bin Ladin — Un monde nouveau — Moi, je viens
d'un autre monde — Un homme généreux — Un monde fascinant qui
n'était pourtant pas le mien — Une belle histoire, tout simplement
— Le regard des autres — Je serai à jamais marquée au fer rouge.*

Dès que j'eus fini mes études, j'organisai avec Yeslam un programme afin que chaque semaine nous puissions nous évader de Genève. Du mardi au jeudi, nous prenions la route tandis que les autres jours, il s'occupait de ses affaires et profitait de ses amis. Afin d'atteindre notre objectif, Cannes, nous avons pris le chemin des écoliers. Notre première destination fut Aix-les-Bains. C'était une très jolie ville d'eaux au bord du lac du Bourget. Chaque détour était l'occasion de visiter une nouvelle ville. Je ne connaissais pas vraiment la France et cette aventure allait nous faire découvrir de merveilleux paysages.

Rien n'était gagné d'avance, mais chaque nouvelle étape constituait une victoire. Nous poursuivions notre but, comme deux explorateurs repoussant chaque semaine les frontières de l'inconnu ! À Genève, ses amis le cherchaient et s'interrogeaient. Il ne répondait plus aux appels. Nous avions convenu de ne rien dire à personne. Nous vivions hors du temps.

***

Premier baiser

Nous avons parcouru la vallée du Rhône, la Provence. Au printemps, nous avons découvert Valence, Saint-Rémy-de-Provence et Avignon et sommes allés souvent à Cassis, un petit port de pêche tout près de Marseille. Après la plage, on y dégustait du poisson frais ou de la bouillabaisse. Nous aimions beaucoup la région. C'était superbe. Nous fréquentions les plus beaux endroits, nous mangions aux meilleures tables. C'était magique. Aix-en-Provence était l'une de nos destinations préférées. Les tranches de pizzas achetées à côté de la brasserie des « Deux Garçons » faisaient notre bonheur, tout comme le miel de romarin que nous nous procurions au marché de la ville.

Tous ces moments passés ensemble nous avaient rendus complices. Nous apprenions à nous connaître et à nous dévoiler en toute simplicité. Au fil de nos escapades, de nos conversations et de nos fous rires, l'amitié et la tendresse qui nous liaient devenaient de plus en plus fraternelles. Je fus surprise lorsqu'il me prit dans ses bras et m'embrassa un beau jour du mois d'avril. J'avais accepté le fait qu'il ne puisse pas m'aimer mais qu'il pourrait être l'un de mes plus proches amis. Je n'avais qu'un but, accomplir ma mission. Je n'avais pas vu qu'il était tombé amoureux.

Nous avons passé notre première nuit dans les bras l'un de l'autre. Le lendemain au réveil, nous nous sommes regardés et nous avons éclaté de rire. Nous allions ensuite vivre près de neuf années ensemble. Ma vie allait dorénavant s'écrire à ses côtés. Finalement le mage Indien avait vu juste. La vie m'offrait un conte de fées, un amour auquel je n'osais croire.

Deux mois plus tard, nous étions à Cannes. Assis face à la mer, sur la plage du Hilton, Yeslam goûtait ce moment d'éternité. Bien que silencieux, je le sentais bouleversé d'être là. Une partie de lui reprenait vie, et je le voyais s'imaginer un futur différent. C'était une merveilleuse journée du mois de juin! J'observais cet homme avec intensité. J'étais heureuse de l'avoir aidé à réaliser son rêve. J'avais le sentiment d'avoir accompli quelque chose d'unique et je voyais dans ses yeux combien il m'était reconnaissant.

**

En juin 1993, je me suis installée chez lui

Ma mission était accomplie, mais la suite de cette aventure prenait un chemin que je n'avais pas imaginé. Nous étions amoureux et il n'était plus question de nous séparer. Je désirais garder notre histoire secrète. Les autres sauraient la nouvelle bien assez tôt! Je recevais de lui le meilleur, les moments passés loin de Genève et des soirées mondaines. Nous étions deux amoureux en fugue, dans une autre réalité, une réalité qui était la nôtre et sur laquelle personne n'avait d'emprise.

Quand nous rentrions à Genève, je vivais chez mes parents et lui dans son hôtel particulier. Nous avions chacun notre vie, mais en juin 1993, il m'a demandé de m'installer chez lui. J'étais intimidée à l'idée d'entrer dans sa vie d'homme. Je savais qu'aucune femme n'avait vécu chez lui depuis qu'il s'était séparé de son épouse, début 1988. Je réalisais que son appartement était conçu pour un homme célibataire, je n'osais même pas déplacer ses affaires pour installer les miennes. Je laissai mes vêtements sur un paravent.

Je commençais ma vie de jeune femme, et j'affirmais mon désir de vivre cet amour en sachant que j'allais heurter la sensibilité de personnes qui m'étaient proches.

***

Intégrée à la famille Bin Ladin
Durant l'été, Rabab, la mère de Yeslam, Fawziah sa sœur et ses deux enfants sont venus passer quelques semaines en Suisse, comme ils en avaient l'habitude. Pour la durée du séjour, ils se sont installés dans l'appartement du premier étage de son hôtel particulier.

J'ai tout de suite été intégrée à sa famille. Yeslam m'a, d'entrée de jeu, imposée comme son amie de cœur, comme « son » choix et j'ai été bien accueillie. Sa mère et

38

sa sœur, toutes deux dévouées, ont fait de la place dans ses armoires quand elles ont vu que je manquais d'espace pour ranger mes effets personnels.

Avec sa sœur et ses enfants, nous avions de longues discussions en anglais. Par contre, avec sa mère, c'était plus difficile puisqu'elle ne parle que l'arabe. Mais il y avait entre nous beaucoup de regards et de sourires échangés. Sa famille m'est apparue ouverte, gentille et simple, et je retrouvais bien là les traits de caractère de Yeslam.

**

Un monde nouveau

On a passé l'été 1993 tous ensemble. Le mois de juillet s'est écoulé doucement à Genève, puis au mois d'août, nous sommes allés dans le sud de la France. Nous leur avions loué une maison à Mougins, tandis que nous nous installions dans un hôtel au bord de la mer. Il nous était ainsi possible de préserver un peu de notre intimité. Sa famille est repartie en Arabie Saoudite à la mi-septembre pour la rentrée des classes. Cet été-là, sa mère et sa sœur étaient heureuses de constater que pour la première fois depuis des années, Yeslam passait des vacances en-dehors de la Suisse.

Nous vivions dans un monde à la fois occidental et oriental dans lequel je me suis sentie très à l'aise. Si Yeslam est ancré dans la culture européenne, il a conservé quelques traditions orientales. Je découvrais avec eux un monde nouveau : la cuisine saoudienne, lointaine parente de la cuisine libanaise; le thé à l'orientale, dégusté assis sur les tapis; le café préparé à partir de grains encore verts et servi avec de la cardamome. C'était délicieux !

Les journées s'écoulaient avec des sensations d'orient. Yeslam revêtait le futa, une sorte de longue jupe très confortable, portée également par les Indiens. Il prenait plaisir à faire brûler des racines de bois pour embaumer la maison. Il me fit découvrir l'oud ramené par sa soeur. C'est un extrait de racines d'arbre ou de bois de rose utilisé comme parfum. L'oud est si concentré que seules quelques gouttes suffisent pour que la peau s'en imprègne. J'étais sous le charme. Aujourd'hui ces essences parfument encore ma vie.

Yeslam a la foi, il prie et observe le ramadan quand il le peut. En vivant avec lui, j'ai découvert un islam doux et respectueux de l'autre. Son ouverture sur le monde, sur les autres cultures a fait de lui un homme bienveillant et tolérant si bien que je n'ai jamais ressenti de différences entre nous. Nous avions le même mode de fonctionnement, nous faisions attention l'un à l'autre.

***

Moi, je viens d'un autre monde

Lorsque nous sommes rentrés à Genève à la fin de l'été, j'ai dû affronter réellement ma nouvelle vie. Pour la première fois, j'étais auprès de Yeslam en tant que compagne et non plus comme une amie. Depuis que je m'étais installée chez lui en juin, j'avais refusé de l'accompagner dans toutes ses sorties. Je voulais me préserver des regards, des interrogations. Mais il tenait à ma présence à ses côtés. Nous étions un couple et je ne pourrais fuir éternellement cette réalité.

Peu de temps après, des ragots couraient dans Genève affirmant que Yeslam fréquentait une toute jeune fille. J'avais bien vingt-quatre ans, mais j'en paraissais moins... À tel point que les gens avaient souvent du mal à concevoir que je puisse être sa compagne. Au cours d'un dîner, j'ai eu le choc d'entendre la maîtresse de maison avouer qu'elle nous avait invités afin de vérifier si les rumeurs qui circulaient sur mon compte étaient fondées. C'était violent. Je n'avais aucun désir d'être le sujet de conversations. J'avais le sentiment qu'on pouvait me dessaisir d'une partie de ma vie, de mon intimité.

Le monde de Yeslam, je ne le connaissais pas. Je n'avais aucune idée du rang social de la famille Bin Ladin en Arabie, ni de quels moyens financiers disposaient les enfants de Mohamed Bin Ladin, le père de Yeslam. Il est arrivé que lors de certains dîners, on me pose des questions sur la famille et comme, invariablement, je répondais que je ne savais rien sur elle, les gens étaient interloqués ! Ils n'en croyaient pas leurs oreilles et insistaient : « Vous ne savez vraiment pas qui est la famille Bin Ladin en Arabie ? »

Je compris que beaucoup de femmes souhaitaient se marier avec un Bin Ladin. Elles auraient ainsi un statut social enviable et un niveau de vie élevé dans l'une des meilleures familles saoudiennes. Souvent, il nous arrivait d'avoir à notre table certains de ses frères célibataires. Il fallait voir la manœuvre des femmes à la recherche d'un mari ! Elles connaissaient une amie, un proche ou encore Yeslam, et faisaient en sorte d'être invitées au dîner ! Elles étaient prêtes à tout pour tenter leur chance ! C'était assez impressionnant de voir la détermination de certaines.

À cette époque, j'étais affaiblie physiquement, je commençais à être malade. Il fallait que je sois forte. Forte pour faire face à ces regards qui disaient : « Mais qu'est-ce qu'elle a de plus que moi? Pourquoi elle ? » Je comprenais que j'occupais une place des plus convoitées.

Même si, d'entrée de jeu, j'avais su qui était Yeslam, ça n'aurait rien changé, j'étais amoureuse.

***

Un homme généreux

Très souvent, Yeslam m'emmenait dans des boutiques et m'invitait à choisir ce que je voulais, mais je n'acceptais pas. Je me rappelle le jour où il voulut m'offrir « le sac», celui dont on rêve toutes, mais j'ai refusé même si j'en avais envie. Il fallait voir la tête des vendeuses ! Elles semblaient penser que je n'avais rien compris. Je trouvais que c'était trop et je ne voulais pas qu'il m'en offre un. Alors avec la monnaie de l'argent du ménage que je mettais de côté jour après jour, je l'ai finalement acheté. Yeslam a éclaté de rire quand je lui ai raconté ce que j'avais fait.

Nous recevions un grand nombre d'invitations pour dîner ou pour participer à des soirées de gala. Il fallait les tenues adéquates. C'était amusant d'essayer sous son regard de sublimes robes longues de couturier. Il est très sensible aux matières ; il ne peut s'empêcher de toucher les étoffes pour en ressentir les qualités. Il a un goût très sûr. C'était inattendu et drôle de voir agir cet homme et j'avais une entière confiance dans les conseils qu'il me prodiguait, tant je le trouvais raffiné.

En prévision d'une soirée, nous avions choisi une robe chez Chanel. Une fois rentrée à la maison, je me suis rendu compte qu'il me manquait des chaussures et un sac pour compléter ma toilette. Quelques heures plus tard, j'ai vu arriver Yeslam avec une paire de chaussures à la bonne pointure et un sac de soirée. Tout convenait impeccablement. J'étais amusée et touchée par toutes ses attentions.

J'étais traitée comme une princesse ; je recevais des bijoux, des robes des Mille et Une Nuits. C'était comme dans les rêves de petite fille. Mon prince me couvrait de cadeaux tous plus beaux les uns que les autres. Yeslam tenait aussi à ce que je porte toujours sur moi une de ses plus vieilles montres ; c'était comme un talisman. Et puis j'ai eu le vertige. J'étais entraînée dans un tourbillon. C'était beaucoup trop. J'avais le sentiment que cela pourrait se retourner contre moi. Je ne voulais pas que ça devienne une habitude. Je craignais l'accoutumance. Et si la magie disparaissait ? J'avais la chance de vivre un conte de fées, mais j'avais conscience que ma réalité et mes exigences se trouvaient ailleurs. J'aimais Yeslam pour l'homme qu'il était et non pas pour ce qu'il m'offrait. Seuls comptaient notre relation et les moments privilégiés que nous partagions. Le reste était un festin de paillettes qui allumait souvent la convoitise dans le regard des autres, mais dont je savais la frivolité.

Je lui ai demandé d'arrêter de me gâter autant. Je lui ai expliqué mes sentiments et mes craintes. Il a compris ce que je ressentais et m'a rassurée. Pour lui, tout cela ne diluerait jamais notre amour. Avec le temps, Yeslam m'a appris à recevoir. Je bénéficiais d'une vie aisée et j'étais consciente de ce privilège. Je comprenais qu'on puisse rêver de mener cette vie. Après tout, ne nous sommes-nous pas tous endormis dans nos lits d'enfants avec des histoires de trésors cachés, de princes et de princesses ?

Toutefois, je n'oubliais pas que l'argent est une arme à double tranchant. Je voulais éviter que le fait d'en disposer ne développe chez moi une dépendance. Je n'ai jamais perdu de vue qu'il était riche, mais que moi, je ne l'étais pas. Rien de ce qu'il avait acquis tout au long de ces années ne m'appartenait. J'imaginais que tout pouvait s'arrêter du jour au lendemain.

***

Un monde fascinant qui n'était pourtant pas le mien
Se retrouver dans ce monde peut bouleverser. Les besoins et les règles y sont différents de ce que l'on retrouve en général dans l'ensemble de la société. Quand

on découvre ce milieu, on se rend compte que tout est possible, que tous les désirs peuvent être comblés. Il n'est pas nécessaire de compter, de se restreindre : on fait essentiellement ce que l'on veut, comme on le veut.

Le comportement de certaines personnes est passé de l'indifférence la plus totale à l'intérêt le plus soutenu: on me saluait, on m'invitait à déjeuner ou à boire un café, on se préoccupait de moi. Parce que j'étais la compagne de Yeslam, j'avais soudainement pris de la valeur à leurs yeux. Mais je ne me laissais pas aveugler par toutes ces attentions. Je savais que si nous devions nous séparer, on se détournerait de moi instantanément.

Ce monde n'était pas le mien et je passais beaucoup de temps à observer tous ces gens autour de moi. J'avais sous les yeux une scène de théâtre permanente. Je les voyais faire et je comprenais que pour la plupart des personnes de notre entourage, je ne représentais pas grand-chose. Leurs façons de m'ignorer me faisaient sourire même si cela a pu être violent les premières fois. Comme je n'avais ni attentes ni illusions, j'échappais au jeu des apparences et je m'attachais naturellement aux personnes dont je percevais la gentillesse et la sincérité. J'ai ainsi eu le bonheur de faire de très belles rencontres.

Ce qui comptait pour moi, c'était de rester authentique. Je tenais à conserver mon mode de vie antérieur et mes habitudes. J'ai ainsi gardé les amis de mon enfance et de mon adolescence. Yeslam, avec sa simplicité naturelle, s'est tout de suite intégré à mon groupe d'amis. Je savais quelle était ma place à ses côtés et combien je comptais pour lui.

***

Une belle histoire, tout simplement

Parfois je ressentais des hésitations, des doutes. Yeslam se renfermait sur lui-même. Certaines disputes ont éclaté sur des silences que je ne comprenais pas. Je ne supportais pas cette situation. Je savais combien ses précédentes relations amoureuses l'avaient fragilisé. Il ne voulait pas me dévoiler ses failles de crainte que je lui fasse du mal. Il avait mis en place un certain nombre de réflexes pour se protéger. J'avais un mur devant moi. Il fallait qu'il ait confiance en moi sinon les malentendus désagrègeraient très vite notre histoire. Je ne voulais pas qu'il m'évite et qu'il cache ses émotions ou ses ressentiments derrière une façade de fortune. Alors je me suis dressée face à lui et je lui ai parlé sans détour.

Nous ne pouvions pas perdre notre temps à nous bagarrer, à nous ignorer ou à être jaloux l'un de l'autre. En aucun cas, je ne le trahirais, je l'aimais et c'était lui qui m'intéressait et personne d'autre. Jamais je n'utiliserais quoi que ce soit contre lui. S'il me considérait comme une ennemie potentielle, alors autant interrompre tout de suite notre relation. Ce que je souhaitais, c'est que nous soyons attentionnés l'un envers l'autre, sans arrière-pensées.

Nous avons alors décidé de nous donner rendez-vous tous les six mois pour vérifier où nous en étions de cette relation. C'était une jolie façon de regarder par-dessus notre épaule et de voir le chemin parcouru. Ainsi nous n'étions pas dans une obligation de vivre ensemble ; ce qui importait, c'était l'amour et le désir que nous ressentions de poursuivre notre histoire.

J'ai aimé Yeslam du mieux que j'ai pu. Je voulais le meilleur pour nous. J'ai réussi à trouver le chemin de son cœur. Il nous a fallu apprendre à nous dévoiler, à nous apprivoiser, à vivre au quotidien. De petits détails pouvaient malmener notre vie de couple. Heureusement nous avions l'humour pour régler nos différends. Régulièrement nous avions rendez-vous dans la baignoire afin de mettre à jour nos blessures, nos faiblesses, nos rancoeurs, et tout cela finissait en éclats de rire. Nous avons appris à marcher vers un même but : le bonheur d'être ensemble et de vivre une belle histoire d'amour. On ne sait jamais où notre chemin nous mènera. Je n'aurais pu imaginer ce que ma vie serait à ses côtés.

***

Le regard des autres

Nous étions heureux. Nous partagions des envies communes tout en préservant chacun notre indépendance. Mais notre relation suscitait des réactions et des commentaires autour de nous. Un jour, un employé de Yeslam m'a confié que, dans notre entourage, on croyait que notre liaison n'allait pas durer. Il était difficile pour certains d'admettre que je sois sa compagne. Nous étions pour eux une énigme. Je n'avais sans doute pas les caractéristiques attendues pour être celle qui partageait sa vie ! Il m'a même suggéré d'être prudente et de veiller à ne pas trop m'investir parce que j'allais souffrir.

Je réfutais ce que j'entendais. Peu de personnes semblaient accepter notre relation, mais mon histoire était écrite, j'en avais la certitude et je mettais tout en oeuvre pour qu'elle soit belle.

Comme je fréquentais un étranger, beaucoup de gens se faisaient du souci pour moi. Dans l'imaginaire de certaines personnes, vivre avec un Arabe signifiait forcément qu'un jour, cet homme m'enlèverait, m'emmènerait en Arabie et me priverait de ma liberté. Pour eux, j'étais en danger et régulièrement, on me rappelait que Yeslam était musulman et que je risquais donc ma vie, rien de moins ! J'étais atterrée de les entendre juger un homme sur des à priori. Je voyais leur peur de l'inconnu, de la différence, ils n'étaient incapables d'être curieux et ouverts. Nous cristallisions toutes leurs angoisses.

Quelque temps avant qu'on m'enlève la vésicule biliaire, j'ai rencontré un ami de ma famille. Il m'a appris qu'on se faisait beaucoup de soucis pour moi, étant donné que je n'avais pas l'air bien du tout. Puis, il s'est mis à me questionner ouvertement : « Est-ce que Yeslam me battait »? Si c'était le cas, il m'aiderait à m'enfuir de chez lui! J'ai cru qu'il plaisantait, mais devant son air sérieux, j'ai dû le rassurer. Si j'avais mauvaise mine, ce n'était pas parce que je vivais avec un Arabe, mais tout simplement parce que j'étais malade...

Certaines personnes se souciaient aussi de ma situation financière. On me demandait si Yeslam m'avait donné de l'argent afin que je puisse faire des économies, s'il m'avait acheté une voiture, s'il prévoyait de m'offrir une maison. Bref, à leurs yeux il me fallait « rentabiliser » cette relation avec un homme riche qui devait « payer » pour m'avoir dans sa vie ! Il ne fallait pas laisser filer cette occasion.

Ma mère voyait la vie que je menais avec Yeslam. Elle le savait généreux et attentionné, mais elle désapprouvait cette liaison. J'imagine qu'elle a été victime des préjugés évoqués précédemment. Et pourtant, elle m'a élevée avec la conviction que je devais être libre et affranchie du carcan religieux et social. J'étais libre de nouer mes amitiés par affinité et non par convenance sociale. Le jour où le curé du village était venu me chercher pour les cours de catéchisme, elle ne m'a jamais obligée à le suivre.

Comme elle déplorait mon engagement avec Yeslam, elle m'a fait la tête pendant des mois. Sa réaction a été très violente pour moi. Soit je l'écoutais et je renonçais à Yeslam, soit je m'éloignais d'elle pour pouvoir vivre ma vie de femme. Elle m'a aussi reproché de n'être attirée que par le côté facile, le glamour et les paillettes. Je sais que si elle a réagi de cette manière, c'est qu'elle voulait, avant toute chose, me protéger. Malgré le déchirement que j'éprouvais, j'ai écouté mon cœur et suivi mes intuitions. Si je m'étais laissée effrayer, j'aurais pu passer à côté d'une très belle histoire d'amour.

Mon père, quant à lui, a spontanément aimé Yeslam. Il a tout de suite compris quel homme il était; il a vu sa gentillesse et sa sincérité, il était heureux pour moi.

Je constatais que les idées toutes faites et les préjugés étaient encore bien vivants. Ces images fortes, caricaturales même, font sourire. Malheureusement, ce genre d'attitude persiste. Je le sais. J'en ai été témoin. Nous ne savons plus accueillir l'autre et ses différences comme une richesse. Nous le voyons comme un danger auquel il faut faire attention. Et nous nous empêchons de faire de vraies rencontres...

***

Je serais à jamais marquée au fer rouge

Je savais ce que j'avais à faire. Je devais être aux côtés Yeslam. Cette conviction était plus forte que tout. Nous étions bien ensemble, tout simplement. Notre histoire était déjà écrite. J'avais l'intuition que je serais à jamais marquée au fer rouge et que je ne sortirais pas indemne de cette relation.

Chapitre 3

LA FAMILLE BIN LADIN

*Mohamed – Le premier homme à posséder un jet privé
en Arabie Saoudite – Vingt-trois unions, cinquante-quatre enfants !
– Rabab – Les études – Rencontre avec ses frères
– Une demi-sœur qui m'a inspirée – Des luttes de pouvoir.*

Mohamed

Au fil du temps, Yeslam m'a parlé de sa famille. Son père, Mohamed Awad Bin Ladin, était originaire du Yémen. Issu d'un milieu très pauvre, il n'avait pas eu la chance de faire des études, mais il était doté d'une intelligence supérieure. De ne savoir ni lire ni écrire ne l'ont pas empêché de mettre sur pied un véritable empire. C'était un visionnaire.

On le disait intègre, sérieux, religieux. C'était un homme de bien, qui avait la foi. Il était si respecté que lorsque sa visite était annoncée au Palais royal, les courtisans s'empressaient de ranger leurs jeux de cartes ! Il était grand et fort, doté d'une autorité naturelle. Il n'avait pas besoin de hausser le ton pour être écouté. Généreux, il ne manquait jamais une occasion de donner aux pauvres.

Le premier homme à posséder un jet privé en Arabie Saoudite

Je me rappelle avoir rencontré un jour, Arnaud, un Français qui était vendeur d'avions et qui avait connu Mohamed dans les années 50. Il se souvenait toujours de lui, et pour cause ! Le père de Yeslam avait été le premier homme d'Arabie Saoudite et du Moyen-Orient à posséder des avions privés, notamment des Beech 18 et Bac 1-11.

J'étais fascinée de l'entendre évoquer ses souvenirs : il se rappelait très bien de sa première rencontre avec Mohamed. Il avait été très impressionné par sa personnalité. Il racontait avec nostalgie la façon dont il l'avait reçu dans le désert avec des Bédouins. Ensemble, ils avaient pris le thé sous la tente. Après plus de quarante ans, ses yeux brillaient toujours d'admiration lorsqu'il parlait de cet homme.

Mohamed Awad Bin Ladin a possédé la plus grosse flotte privée au monde de machines Caterpillar : machineries lourdes, engins, camions de chantiers, etc. Il détenait l'équivalent, en équipement, d'un gigantesque service de travaux publics et sa société comptait déjà trente mille employés. Sa vie durant, il a fait preuve de sagacité en s'entourant de collaborateurs fidèles.

J'ai entendu parler de la route de Taëf qu'il a construite et qui est encore utilisée de nos jours. Une entreprise hollandaise devait réaliser le projet, mais devant les difficultés rencontrées, elle a préféré abandonner son mandat. Mohamed a relevé le défi et s'est chargé de cet énorme chantier.

Puis, alors que le sud de l'Arabie était inaccessible, Mohamed a aussi tracé et ouvert une route au bout de laquelle il a construit une base aérienne. La région était en proie à des difficultés de tous ordres et personne d'autre que lui n'avait osé entreprendre ce projet si audacieux et si difficile à réaliser. C'est précisément en menant à bien ces travaux qu'il a bâti sa réputation et qu'il a tissé des liens de confiance exceptionnels avec le roi d'Arabie Abdul Aziz Al-Saoud. Mohamed était un homme très respecté de son entourage.

Par la suite, les transformations et rénovations des mosquées de la Mecque et de Médine seront confiées à l'entreprise familiale.

Mohamed eut une fin tragique : il est mort dans un accident d'avion, en 1967. Le pilote avait mal négocié un virage et le bord de l'aile du Beech 18 a touché le sol. La légende veut que le lendemain de sa mort, son secrétaire particulier arriva à Djeddah avec une cargaison d'or et d'argent destinée aux enfants. Apparemment, une partie des pièces avait été déterrée avant d'être distribuée.

***

Vingt-trois unions, cinquante-quatre enfants !

L'information véhiculée jusqu'à maintenant sur Mohamed Awad mentionne qu'il a eu tantôt onze femmes, tantôt quinze, mais dans les faits, il a eu vingt-trois femmes et cinquante-quatre enfants, dont vingt-cinq garçons et vingt-neuf filles. On dit qu'il avait ses raisons de vouloir autant d'enfants, notamment celle de bâtir une imposante dynastie pour développer et gérer l'entreprise familiale.

Voici l'arbre généalogique faisant état du nombre d'épouses et d'enfants de Mohamed:

1ère épouse, 6 enfants, dont Salem et Bakr
2e épouse, 9 enfants
3e épouse, 3 enfants
4e épouse, 1 enfant
5e épouse, 3 enfants
6e épouse, 2 enfants
7e Rabab, 4 enfants, **Yeslam,** Ibrahim, Khalil et Fawziah
8e épouse, 5 enfants
9e épouse, 1 enfant
10e épouse, 3 enfants
11e épouse, 4 enfants
12e épouse, 1 enfant, Shafiq
13e épouse, 1 enfant
14e épouse, 1 enfant
15e épouse, 1 enfant
16e épouse, 1 enfant
17e épouse, 1 enfant, Oussama
18e épouse, 1 enfant
19e épouse, 2 enfants
20e épouse, 1 enfant
21e épouse, 1 enfant
22e épouse, 1 enfant
23e épouse, 1 enfant

Pour des raisons évidentes, il est pratiquement impossible lorsqu'on appartient à cette famille d'entretenir une relation étroite avec tous les membres du clan, soit soixante dix-huit personnes.

Les mères comptaient sur leurs fils pour s'occuper d'elles si jamais il arrivait malheur à leur époux. Les filles, quant à elles, étaient destinées à se marier et à fonder une famille. Il était bien vu de mettre au monde des garçons et des rivalités pouvaient parfois naître entre certaines mères. La famille Bin Ladin n'en était pas moins un grand clan bien soudé, malgré les différends qui pouvaient avoir cours.

***

Rabab

Avec Rabab, Mohamed a eu quatre enfants : Yeslam qui est l'aîné, Ibrahim, Khalil et Fawziah. D'origine iranienne, elle est arrivée très jeune en Arabie Saoudite pour se marier. Le pays n'avait pas encore connu la période de développement accéléré de l'industrie du pétrole et des grandes surfaces commerciales qui caractérisent la vie d'aujourd'hui. En ce temps-là, la famille Bin Ladin dormait dans une maison traditionnelle, faite de terre. C'était un autre monde…

Yeslam m'a souvent parlé de la maison familiale à Djeddah où il passait les vacances scolaires. De style arabe, elle était construite de manière à ce que l'air puisse circuler facilement entre toutes les pièces. À l'époque, la climatisation n'existait pas. Pendant les mois de grandes chaleurs, il dormait avec ses frères et sa sœur sur le toit de la maison afin de profiter de la fraîcheur de la nuit.

Lorsque j'ai rencontré Rabab, j'ai vu l'amour immense qu'elle porte à ses enfants et ses petits-enfants. Elle a une forte personnalité et leur dit toujours ce qu'elle pense de leurs décisions et leurs choix de vie. Il lui suffit d'un seul regard, de ses yeux si expressifs, pour se faire comprendre.

***

Les études

Pour Mohamed, il était de la plus haute importance que tous ses enfants suivent des études supérieures, ce qu'il n'avait pas eu la chance de faire. Il souhaitait aussi que chacun d'eux apprenne l'anglais.

Les filles devaient rester en Arabie car il n'était pas question pour elles de quitter le pays, mais Mohamed veillait à ce qu'elles poursuivent des études à l'université afin qu'elles aient une éducation de qualité.

Comme sa situation financière le lui permettait, il a envoyé ses fils à l'étranger dans des écoles privées de réputation internationale. Les garçons étaient généralement exilés dès leur plus jeune âge soit en Syrie, soit au Liban, soit en Égypte; certains d'entre eux sont toutefois restés en Arabie pour leurs études comme Oussama. De ce fait, les enfants ont grandi dans des clans parallèles, ce qui explique les différences qui existent dans la nature de leurs liens fraternels. Yeslam, qui fait partie des aînés, a davantage fréquenté les frères et sœurs de sa génération plutôt que ceux nés après lui comme Oussama.

Vers l'âge de cinq ans, Yeslam est parti en internat au Liban avec quelques-uns de ses frères. Il pensait juste faire un tour d'avion. Personne ne lui avait expliqué qu'il partait pour de longs mois. Il m'a raconté qu'à la suite de cette séparation, il fit des cauchemars chaque nuit à l'internat. Il n'est retourné en Arabie qu'à la fin de l'année scolaire. De vivre loin de leurs mères a été un événement très douloureux pour plusieurs des enfants Bin Ladin. C'était une véritable épreuve pour ceux qui ne réintégraient le nid familial qu'aux vacances d'été. Pour Yeslam et sa mère, cette situation d'éloignement a provoqué un véritable déchirement. Une séparation aussi violente peut évidemment créer des traumatismes et générer des difficultés qui se réveillent parfois à l'âge adulte.

Il y avait au Liban un homme de confiance qui s'occupait de l'intendance des enfants. Il se chargeait d'acheter les vêtements pour l'année scolaire. Il leur distribuait chaque semaine une somme très modeste, à titre d'argent de poche. Yeslam se souvient n'avoir eu que de quoi aller en ville en bus, voir un film et rentrer. Même si les affaires familiales se développaient bien, leur père ne leur donnait jamais de grosses sommes d'argent. Les enfants recevaient à l'époque l'équivalent de 25 centimes, et à l'adolescence environ 1 franc. Il a étudié là-bas jusqu'à l'âge de dix-sept ans, avec une interruption d'au moins un an quand la guerre a éclaté au Liban. Il ne voyait son père qu'au retour des études et juste avant de repartir, à la fin de l'été. Il se rappelle qu'il était sévère et que les enfants craignaient ses punitions. Il exigeait d'eux de bons résultats.

***

Rencontre avec ses frères

Au cours des neufs ans passés auprès de Yeslam, j'ai rencontré environ une quinzaine de ses frères et soeurs. Shafiq, l'un de ses plus jeunes demi-frères, passait beaucoup de temps à Genève. Je l'ai croisé dès que j'ai connu Yeslam. Nous nous rencontrions souvent quand nous sortions. Shafiq était impressionné par la manière de faire de Yeslam. Il me disait toujours de l'observer et d'apprendre à ses côtés. Pour lui, c'est un visionnaire.

J'ai rapidement rencontré Bakr qui dirige l'entreprise familiale, Saudi Binladin Group. Il avait pris les commandes de la compagnie après la mort accidentelle de son frère aîné, Salem, à bord d'un ULM qui avait percuté une ligne à haute tension en Californie. Yeslam m'a souvent parlé de la personnalité remarquable de Salem. Il avait impressionné bon nombre d'hommes à qui il communiquait son appétit et sa joie de vivre. Même s'il était en mesure de tout se permettre, ou presque, il demeurait sage. Il était libre, ni le pouvoir ni l'argent ne l'avaient changé.

Yeslam et Bakr partagent la même passion pour l'aviation. Bakr venait souvent nous rendre visite avec son jet privé, un superbe Challenger. Il nous rejoignait à Megève ou à Gstaadt car il avait décidé d'apprendre à skier. Il était souvent accompagné dans ses déplacements de son masseur et d'un guitariste.

Ibrahim, le frère de Yeslam, est un passionné de jardins et de plantes. Parfois Yeslam n'arrivait pas à le joindre pendant plusieurs jours parce qu'il était complètement absorbé par ses plantations dans son jardin. C'est aussi un bricoleur. J'ai aussi eu l'occasion de le voir avec sa fille avec laquelle il avait une relation très tendre. C'est un bon vivant, très taquin.

Sachant que Yeslam ne pouvait plus se rendre en Arabie, car c'était un voyage trop long pour lui, ses frères et soeurs venaient régulièrement le visiter à Genève. Même s'il pouvait exister des dissensions entre eux, ils se préoccupaient de lui. Tous les frères que j'ai rencontrés sont des hommes très discrets et fort bien éduqués. Avant même que je ne devienne la compagne de Yeslam, si je croisais l'un d'eux dans un endroit public, il prenait de mes nouvelles et s'assurait alors que tout allait bien.

***

Une demi-sœur qui m'a inspirée

J'ai rencontré en 1992, l'une des demi-sœurs de Yeslam qui passait beaucoup de temps en Europe, que ce soit à Paris ou à Londres. Toujours souriante, elle respirait la joie de vivre. Elle avait étudié l'histoire de l'art à Paris avec l'une de ses amies saoudiennes. Elle aimait apprendre. À la montagne, elle prenait des cours de ski. Elle avait commencé relativement tard à pratiquer ce sport, mais elle persévérait. Quand elle était de passage à Genève, elle accompagnait souvent Yeslam à ses cours d'aviation. Je crois qu'elle a décidé à son tour d'apprendre à piloter. Je regardais cette femme avec émerveillement. Rien ne lui semblait impossible.

Elle me montrait qu'à tout âge, il est possible de réaliser ses rêves et qu'il n'est jamais trop tard pour apprendre de nouvelles choses. Elle s'investissait complètement dans tout ce qu'elle entreprenait avec un plaisir extrême. Je voyais combien elle était en contact avec elle-même et avec ses propres désirs. J'avais été élevée avec l'idée qu'il était important de faire un métier qui offre une sécurité. Il fallait faire des choses utiles. Alors quand Yeslam m'a demandé ce que je voulais entreprendre, j'ai commencé par des cours de langues étrangères comme l'anglais, l'espagnol et l'arabe. Pour moi, il était difficile d'aller vers des choses qui me semblaient plus futiles.

Au fil de nos rencontres, elle m'a insufflé la liberté d'oser de nouvelles expériences. Je sortais doucement des chemins classiques et raisonnables. La peinture, le chant avaient une résonance en moi, mais je n'osais pas m'y adonner parce que d'autres avaient le talent. En la voyant agir, j'ai compris qu'on peut faire des choses par plaisir sans être forcément talentueux.

Cette curiosité, cette soif d'apprendre sont des traits de caractère que j'ai retrouvés chez Yeslam et d'autres de ses frères et soeurs. Ils m'ont tous communiqué cette liberté d'aller vers ses propres désirs sans juger du résultat final. Aujourd'hui quand je pense à la demi-soeur de Yeslam, j'ai toujours l'image d'une femme épanouie aux fous rires contagieux.

***

Des luttes de pouvoir

Yeslam m'a raconté qu'à son retour des États-Unis où il avait étudié de 1974 jusqu'en 1977, il avait intégré les services financiers de l'entreprise familiale en Arabie. Plusieurs de ses frères travaillaient déjà dans l'empire mis sur pied par leur père. Pendant plusieurs années, il essaya de développer au sein du groupe les méthodes de travail qu'il avait acquises à l'étranger. Il faisait souvent affaire avec des princes de la famille royale avec lesquels il entretenait de bonnes relations et qui le respectaient pour sons sens du devoir.

Cependant, sa vision et son approche ne correspondaient manifestement pas à celles de l'un de ses frères aînés. Celui-ci avec l'appui de certains membres de la famille a imposé sa méthode de gestion. Pour Yeslam, il est devenu difficile de développer des projets dans ces conditions. Il existait entre quelques-uns des frères une rivalité certaine, notamment pour obtenir les postes clés au sein de l'entreprise familiale, ce qui est loin d'être inhabituel dans un empire comme celui-ci. En fait, les frères nés d'une même mère étaient soudés les uns aux autres. Ils travaillaient ensemble et s'assuraient de détenir les postes les plus déterminants de l'entreprise familiale.

Yeslam s'est donc retrouvé dans une position délicate. On ne peut pas avoir plusieurs chefs dans la même cuisine. Il n'était pas sûr de pouvoir se plier à leur manière de faire. Il a préféré quitter Djeddah pour aller passer l'été en Suisse et y faire le point. C'était en 1985. À l'automne, il remettait de jour en jour son retour en Arabie. Il a alors réalisé qu'il n'avait plus sa place dans cette société.

En bout de piste, il a décidé de ne pas rentrer chez lui et de quitter pour un temps sa famille et le monde des affaires. En fait, il ne savait pas encore qu'il allait traverser une période de turbulences et que sa vie changerait complètement. Il a interrompu toute relation avec son grand frère pendant les quatre années qui ont suivi. Peu après la rupture avec ses demi-frères, il s'est séparé de sa femme. Il décida de profiter de la vie différemment, et de consacrer plus de temps pour lui, et de s'adapter à sa nouvelle vie à Genève.

C'est seulement à la fin des années 1980, à la mort de leur frère Salem que Yeslam et son frère aîné reprirent contact. Il leur faudra quelques années pour rétablir enfin une relation apaisée.

C'est dans la solitude qu'il a commencé un chemin spirituel. Sa cellule familiale était brisée et il se retrouvait sans aucune responsabilité professionnelle au sein de l'entreprise familiale. C'était un retour obligé vers lui. Même s'il y avait des renoncements à faire, le jeu en valait la chandelle. Fragilisé durant cette période de remise en question, Yeslam en est sorti plus fort qu'auparavant.

Chapitre 4

DES ENNUIS DE SANTÉ

Un cauchemar – Yeslam était à mes côtés – Unis vingt-quatre heures sur vingt-quatre – Où j'entends parler d'Oussama – À la recherche d'une solution – Des montagnes – De nouvelles dispositions.

Au cours des premiers mois partagés avec Yeslam, ma vie a été bouleversée. J'étais amoureuse. Je venais de terminer mes études que j'avais réussies, et je n'avais plus le stress des examens. Les semaines s'écoulaient au rythme de nos escapades et je commençais à mener une vie plus régulière. Nous apprenions à nous découvrir et surtout à vivre en couple. Même si nous sortions souvent, je ne m'épuisais plus dans d'interminables soirées. Je n'avais plus besoin d'échappatoires. J'étais apaisée même si je devais faire face à l'incompréhension de ma mère. Ma vie prenait une nouvelle dimension et j'appréciais chaque moment. Mais à peine commençais-je à trouver mes marques que j'ai dû affronter des problèmes de santé.

***

Un cauchemar

Pendant mes années d'études, j'avais mené une vie désordonnée. Je sortais beaucoup, je me nourrissais mal. Je me laissais entraîner dans une spirale de fêtes jusqu'à plus soif ! C'était une vie joyeuse, pleine d'imprévus, de rencontres, de démesures.

En 1992, j'ai ressenti des douleurs au ventre. Je ne pouvais plus manger normalement. Finalement après des examens, on me découvrit des calculs à la vésicule biliaire. On me fit suivre un traitement médical doublé d'un régime alimentaire. Ainsi mon état s'était stabilisé. L'été suivant, je recommençai à subir des crises très douloureuses. Je ne pouvais plus rien avaler. L'intervention était nécessaire. Après l'ablation de la vésicule biliaire en septembre 1993, j'ai souffert d'allergies et d'eczéma; des plaques rouges envahissaient mon visage et c'était difficile à supporter.

Pendant plus d'une année, j'ai consulté bon nombre de spécialistes universitaires et indépendants. En vain. Les analyses de sang ne révélaient rien d'anormal et aucun médecin n'était en mesure de me donner d'explications sur mon piteux état de santé. J'avais toujours ces plaques d'eczéma et j'étais de plus en plus fatiguée. On a pratiqué des tests allergènes qui se sont révélés négatifs; on a suggéré des réactions psychosomatiques, mais pour moi, il n'y avait rien qui puisse provoquer cela, j'étais heureuse.

On m'a prescrit de la cortisone que j'appliquais sur ma peau pour avoir le visage lisse lorsque je sortais; mais dès que j'en cessais l'application, toutes les rougeurs revenaient au galop. C'était un cauchemar.

***

Yeslam était à mes côtés

Yeslam a tout tenté pour me soulager. Il a fait appel à un grand spécialiste anglais qui a consenti à venir en consultation à Genève. Mais ce médecin n'a rien pu préciser sur mon état de santé. Yeslam en était désolé. Heureusement nous étions tous les deux liés non seulement par ma quête de guérison, mais aussi par la même soif de vivre pleinement le moment présent et de profiter avec reconnaissance de tout ce que la vie nous offrait.

Il me prodiguait toute l'attention et la tendresse dont j'avais besoin. Lorsque je n'avais pas la force de cuisiner, il m'amenait des petits plats mitonnés par un traiteur. Il me faisait comprendre qu'à ses yeux aucun mal ne pouvait me diminuer. Il a même insisté, un soir, pour que je l'accompagne à un gala telle que j'étais, au pire de ma forme, le visage couvert de plaques rouges. Pour lui l'important, c'était de m'avoir à ses côtés.

***

Unis vingt-quatre heures sur vingt-quatre

Contrairement à la plupart des couples, nous étions ensemble presque vingt-quatre heures sur vingt-quatre. Cela nous semblait tout à fait naturel. Dans les épreuves que j'ai traversées, le plus réconfortant était de ressentir l'amour qu'il me portait. Il acceptait mon cheminement, sans jamais le juger ni le contrer. En 1994, il a décidé de me confier la tâche de réaménager l'appartement de Megève. Je ne m'en sentais pas capable et il m'était difficile de prendre la responsabilité de ces travaux. Mais il me poussait à aller de l'avant et à prendre des initiatives pour me redonner confiance en moi. C'est ce que je fis.

Dans cet appartement, nous y avons passé toutes les fêtes de fin d'année. Bien que Yeslam ne soit pas chrétien, nous organisions un dîner de Noël avec tous nos amis, quelles que soient leurs croyances religieuses. Il aimait rassembler les personnes qui étaient seules en cette période de fêtes. Dès l'ouverture de la station, nous passions presque tous les week-ends à la montagne à dévaler les pentes. Yeslam skie très bien et il m'expliquait comment améliorer mon style et ma technique.

*** *

Où j'entends parler d'Oussama

C'est à Megève, en 1994, que j'ai entendu parler pour la première fois d'Oussama. Yeslam m'a expliqué que le roi d'Arabie manifestait le désir de voir le fils de Mohamed rentrer au pays. Il tenait apparemment un discours dévastateur contre le gouvernement d'Arabie et critiquait ouvertement le laxisme de la monarchie face aux intentions américaines d'établir des bases militaires sur leur sol. Le roi Fahad a donc convoqué quelques-uns

66

des demi-frères afin de les inciter à convaincre Oussama de revenir en Arabie; sinon il serait déchu de sa nationalité.

Aucun de ses frères n'a réussi à le convaincre de rentrer au pays, de renoncer à ses idées, de se calmer. Et pour cause ! Il savait pertinemment que s'il revenait, on allait le priver de sa liberté de vivre et de penser comme il l'entendait. Finalement, le passeport saoudien lui a été retiré et ses avoirs confisqués.

Ce que j'ai compris de lui, c'est qu'il s'était engagé en Afghanistan pour combattre la présence des Russes. Il était considéré comme un héros. Il avait été formé comme soldat et armé par les Américains. Au terme de la guerre en Afghanistan, et lors de la première Guerre du Golfe, les Américains se sont rendu compte qu'Oussama avait décidé, lui, de continuer à se battre, mais pour sa propre cause. Il voulait empêcher des pays occidentaux de se maintenir de quelque manière que ce soit dans les pays du Golfe.

C'est ainsi que j'ai appris qui était Oussama. Je sentais que c'était un homme très engagé. Il avait apparemment une cause à défendre, et semblait avoir un discours assez radical sur l'Arabie Saoudite. J'ai réalisé qu'en me confiant tout cela Yeslam m'intégrait dans sa famille. Il pensait qu'il serait difficile d'influer sur les idées de son frère et de le faire changer d'avis. Il était adulte et libre d'exprimer ses opinions et ses convictions. Il espérait cependant que des solutions seraient trouvées.

J'étais soucieuse car je voyais que cela touchait toute la famille, mais en même temps je n'avais pas conscience des enjeux et des conséquences que cela pourrait avoir. Nous vivions loin de ces problématiques et la chose qui m'importait le plus était le bien-être de Yeslam. Même s'il se sentait concerné par sa famille, sa vie se déroulait en Suisse, et il s'était détaché des soucis familiaux. J'avais pour ma part déjà assez de choses à gérer dans ma vie et tout cela me paraissait loin de moi.

***

À la recherche d'une solution

Mes états maladifs auraient pu anéantir notre couple. Au contraire, nous avons fait front commun. Yeslam a toujours été présent à mes côtés pour m'épauler. Nous avons appris à reconnaître à quel point notre force était grande si nous étions unis. Et nous l'étions.

J'avais besoin d'un temps d'arrêt. Il me fallait mettre de l'ordre dans ma vie. Mon corps ébranlé tentait d'attirer mon attention en me lançant différents signaux. J'ai commencé un travail sur moi-même. Je voulais guérir rapidement, mais j'ai dû apprendre la patience. Quand on se sent constamment épuisée à vingt-cinq ans, c'est terrible !

J'ai fini par chercher d'autres solutions, peut-être moins rationnelles, mais la maladie était là et il fallait en finir. C'est ainsi que je me suis tournée vers la médecine parallèle. J'ai expérimenté un grand nombre de thérapies :

j'ai vu des magnétiseurs, des thérapeutes pratiquant l'iridologie, l'autohypnose, l'auto hémothérapie, la kinésiologie, les gouttes florales du Dr Bach puis j'ai fait un jeûne. Grâce à celui-ci, les plaques rouges ont disparu. Désormais, je devrais faire attention à mon alimentation. J'étais soulagée d'avoir enfin trouvé une solution. Pourtant j'ai dû admettre que mon état intérieur n'évoluait pas. J'étais toujours sous le coup d'une grande fatigue.

En 1995, j'ai rencontré Élyse qui m'a accompagnée dans ma quête de guérison sans jamais me juger. Chaque semaine, elle me faisait un massage métamorphique. C'est elle qui m'a aidée à prendre conscience de mon état dépressif et à mettre des mots sur mes souffrances.

Grâce à elle, j'ai peu à peu compris les mécanismes que j'avais mis en place et j'ai ainsi pu m'en détacher. Yeslam me donnait le temps nécessaire pour prendre soin de moi. C'était une chance inestimable. Ils m'ont accompagnée tous les deux sur ce chemin avec bienveillance, générosité et amour.

***

Des montagnes

J'ai réalisé que durant mon adolescence, j'avais mené une vie déséquilibrée. Je vivais la nuit jusqu'à m'épuiser, je me nourrissais mal, je me levais tard. Ce qui me restait d'énergie me servait à étudier. Je ne sais même pas comment j'ai réussi mes examens. Je m'étais simplement fixé comme objectif de finir mes études et je suis allée au bout de mes résistances. De cette façon, je fuyais un quotidien qui ne me convenait pas. À l'hôtel, avoir une vie de famille relevait de l'utopie, mes parents étant constamment absorbés par leur travail. Il n'y avait pas de place pour l'échange, la discussion. Alors j'avais fini par me recréer un monde où je me sentais à l'aise et bienvenue. C'était le monde de la nuit.

J'ai pris conscience que j'allais devoir me donner du temps après mes études pour mettre de l'ordre dans ma vie. Je ne voulais pas me fuir continuellement. Et j'ai rencontré Yeslam... Alors j'ai oublié toutes mes bonnes résolutions!

À l'époque, mon histoire d'amour a suscité de telles réactions que je n'avais pas toutes les armes pour y répondre. Je devais faire face à l'incompréhension d'une multitude de personnes plus ou moins proches. Les attaques insidieuses venaient de toutes parts et je n'arrivais pas à me défendre ni à me protéger. J'étais le réceptacle des peurs, des angoisses, des a priori, des jalousies qu'on projetait sur moi. Face à ce qu'on me renvoyait, j'ai commencé à douter de mes choix. J'étais prise entre deux mondes, le mien avec Yeslam et celui que l'extérieur me renvoyait. Tout cela m'a fragilisée.

Aujourd'hui avec le recul, je réalise que j'ai affronté des montagnes. Je pense que si je n'avais pas entrepris ces démarches pour me soigner et trouver des solutions pour aller mieux, j'aurais pu me détruire sans même en avoir conscience.

De nouvelles dispositions

Durant toutes ces années, j'ai beaucoup appris sur le fonctionnement du corps humain et de l'âme. Sur le chemin de la guérison, j'ai entrepris une formation de deux ans pour étudier le shiatsu, massage japonais inspiré de la médecine traditionnelle chinoise. Mon amie Odile avait fini par me convaincre d'assister à ce cours avec elle. Elle était certaine que je trouverais des réponses à mes problèmes de santé. J'ai appris le pouvoir des mains et du toucher; comment les poser et lire un corps sans heurter les pudeurs que l'on rencontre. Puis je me suis tournée vers le massage aux huiles essentielles. Ces ennuis de santé m'ont donné la possibilité d'acquérir de nouvelles connaissances, de mieux me connaître et de m'ouvrir d'avantage sur les autres. Aujourd'hui, je continue à faire des massages et à acquérir de nouvelles méthodes. Ce sont de vrais moments d'échanges et de rencontre qui font désormais partie de ma vie.

À force de travailler sur moi-même, je me sentais plus libre. Je reprenais enfin possession de ma vie. Je pouvais m'aventurer sur des sentiers que je n'aurais jamais osé emprunter auparavant. Je voulais suivre mes envies.

En 1989, au Musée Guggenheim, je m'étais retrouvée face à un tableau de Gerhardt Richter qui m'a bouleversée. Cette toile abstraite avait des couleurs d'une intensité incroyable. J'étais impressionnée que ce peintre puisse générer en moi autant d'émotion. En 1999, après m'être souvenue de ces sensations, j'ai décidé de m'inscrire à des cours de créativité. Avec un professeur des Beaux-arts comme guide, je me suis mise à la peinture. Grâce à lui j'ai pu laisser jaillir mon imaginaire sans peur d'être jugée. Ces heures passées dans l'atelier me permettaient d'être plus proche de moi. Très rapidement, il m'a fallu peindre de grandes toiles. En accrochant mon premier tableau, j'ai eu la sensation étrange de voir une partie de moi vivre sur le mur.

J'avais aussi envie de faire du théâtre, et j'ai commencé par suivre un séminaire de prise de parole en public, organisé par le théâtre Para-Surbeck à Genève. On m'a encouragée à poursuivre, et je suis allée prendre des cours de théâtre aux Ateliers de l'Ouest à Paris. J'y suis restée trois ans, même si j'avais mis trois mois à me décider à bouger de ma chaise et à entrer dans le jeu. Je renouais avec le théâtre de mon enfance. J'y affinais ma perception des comportements humains. J'étais assidue et j'y prenais beaucoup de plaisir. C'étaient là des moments privilégiés, loin de ma réalité et de mon quotidien.

Aujourd'hui, je ne sais pas ce que je ferai de tout cela mais j'ai découvert certaines facettes de moi que j'ignorais et qui m'ont permis de grandir et de mettre à jours mes qualités, mes forces et mes faiblesses. En découvrant mes blessures, j'ai appris à les accepter, à les laisser voir, à les partager. Au cours de ces années, j'ai eu la chance de travailler avec des personnes qui m'ont permis d'évoluer et d'aller à ma rencontre.

Chapitre 5

LA MAISON DE CANNES

Notre première villa – Une maison en pleine Californie
– Une vue superbe sur la mer et sur Cannes – Une maison
conçue par Yeslam – Le poulailler.

Notre première villa

Nous étions sous le charme de Cannes et nous avons décidé d'acheter une maison. Nous souhaitions trouver une bergerie. Comme l'été approchait et que nous n'avions rien trouvé, nous avons choisi de louer une villa pour la belle saison. Elle était située sur une petite colline, entre Cannes et l'aéroport. La villa était moderne et toutes les baies vitrées avaient vue sur la mer. Les pièces étaient spacieuses et lumineuses. Il y avait une piscine et un magnifique jardin. C'était un endroit où il faisait bon vivre. Cette villa appartenait à un galeriste de Cannes.

Au printemps 1995, nous l'avons achetée. C'était la première maison que nous choisissions ensemble. Je me suis occupée de l'aménagement et j'ai supervisé les petits travaux de rénovation qui s'imposaient. Comme la maison était située tout près de l'aéroport de Cannes-Mandelieu où nous atterrissions, nous avions décidé de garder une voiture dans un garage loué à l'aéroport même.

***

Une maison en pleine Californie

Quelques années plus tard, la sœur de Yeslam nous a confié la tâche de lui trouver une résidence secondaire. Nous avons alors cherché autour de Cannes un terrain avec une bâtisse en vieilles pierres qu'il nous faudrait éventuellement retaper.

Nous pensions qu'il serait plus facile de trouver ce que nous recherchions à l'extérieur de Cannes, ce qui nous a amenés à visiter une grande partie des collines derrière Mougins. On y trouve encore des propriétés qui ne sont pas « dénaturées » et qui se transmettent de génération en génération. Pendant un an, nous avons sillonné cette région pour finalement arriver à la conclusion qu'il serait bien dommage de ne pas avoir vue sur la mer et sur la Croisette. Depuis Grasse, on ne voyait la mer que de très loin.

***

Une vue superbe sur la mer et sur Cannes

Un jour, nous avons enfin déniché l'incroyable, un vieux terrain, dans la Californie, l'un des plus beaux quartiers de Cannes. Yeslam a fait, pour le compte de sa sœur, une offre qui a été acceptée. Nous venions enfin de trouver le coin de terre dont nous rêvions, avec une vue superbe sur la mer et la ville de Cannes. On y trouve des oliviers qui ont cinq cents ans, un rosier qui doit avoir une centaine d'années et qui a fini par grimper et s'agripper à un sapin, à environ cinq mètres de hauteur. Il y a des orangers, des pruniers, un pamplemoussier, un néflier, ce coin de terre est un véritable paradis.

Sur le terrain, il y avait une vieille bergerie qui tenait toujours debout. Nous projetions de récupérer l'un des murs comme point de départ de la nouvelle maison mais des pluies diluviennes l'ont emporté. Nous avons alors dû construire une toute nouvelle maison.

***

Une maison conçue par Yeslam

Nous avions imaginé ce à quoi devrait ressembler une maison facile à vivre. Comme ce qui est rustique ne se démode jamais et se patine au fil des ans, nous avions choisi des pierres pour les murs extérieurs et le sol de la maison. C'était pratique pour les enfants de la famille et notre chien. Un jour, à un retour de vacances, j'ai eu la surprise de recevoir de Yeslam un adorable chiot Golden Retriever beige, une petite femelle attachante qui n'avait alors que trois mois. À partir de ce jour, Kim nous a suivis partout, que ce soit à pied, en voiture ou en avion. Avec elle, je faisais de longues promenades, et c'est ainsi que j'ai découvert les environs de Cannes.

Pour Yeslam c'était l'occasion de réaliser l'un de ses rêves. C'était un bonheur de le voir utiliser son énergie pour créer et donner vie à la maison qu'il avait imaginée, conçue et dessinée. Il s'est permis de jouer avec les volumes de certaines pièces même si le résultat était inhabituel. Il s'était fait aider d'un architecte pour la réalisation des plans. Ce fut une réussite! Sa sœur était enthousiaste.

Pour la réalisation des travaux, nous avons fait appel à une entreprise de construction de la région. Avec sa structure en béton armé, la maison est presque indestructible. Le projet a été achevé en moins de quatre mois et demi. C'était exceptionnel. La maison d'amis et celle des gardiens sont demeurées telles quelles. Un poulailler a aussi été créé sur une des *restanques*.

Tous les meubles avaient été choisis et commandés pendant l'hiver. Il s'agissait de meubler une pièce principale de cent trente mètres carrés, avec une hauteur sous plafond de sept mètres, et toutes les pièces attenantes. Des lustres en fer forgé ont été conçus spécialement pour le salon.

Des équipes de tailleurs de pierres ont travaillé sans relâche pour que la maison soit prête pour le Festival de Cannes. Il avait été prévu cette année-là que les membres du jury y seraient logés le dernier jour avant la remise des récompenses. C'était l'objectif que nous nous étions fixé. Cette information a par la suite été rendue publique, divulguée dans certains journaux, mais sans l'accord de Yeslam. Il avait promis de demeurer discret sur leur venue à la maison, mais une fuite s'était produite.

Nous avons pu compter sur l'efficacité et la disponibilité de Daniel et Rolande, le couple qui a pris la responsabilité de s'occuper de la propriété. Plus tard, à la suite des attentats de 2001, nous avons pu apprécier leur discrétion et leurs efforts pour empêcher les curieux et les journalistes de papillonner autour de la maison. Comme une photo de la propriété avait paru dans le journal local, il était facile de la reconnaître.

***

Le poulailler

Yeslam tenait absolument à ce qu'on lui bâtisse un poulailler. Lorsqu'il était enfant et qu'il vivait en Arabie, il possédait une volière peuplée de pigeons très particuliers dont il s'occupait seul. C'était sa responsabilité. Cette première passion a survécu au temps et s'il n'a plus d'oiseaux aujourd'hui, il possède quand même des poules à Cannes.

D'ailleurs, un jour, en riant, il a dit à l'un des frères du roi d'Arabie qu'il avait des poules dans son poulailler… mais pas de poules saoudiennes. Le week-end suivant, lorsque nous sommes arrivés à la propriété, Daniel, nous a informés, un peu étonné, qu'il avait reçu dans la semaine des poules et un coq. Le frère du roi l'avait pris au mot!

Elles étaient toutes petites, naines en fait, d'un joli brun foncé. Elles étaient superbes ! Leurs œufs étaient blancs et plus petits que les œufs habituels. Chaque nouvel invité avait droit à la visite guidée du poulailler, commentée par Yeslam! Malheureusement, nous n'avons plus aucune de ces poules. Un renard est passé par là et les a dégustées!

Presque tous les week-ends, nous profitions de cette maison, facile à vivre et accueillante. L'été, sa famille nous rejoignait. Ils étaient heureux de passer leur journée dans le jardin, car en Arabie, ils ne pouvaient déjà plus rester dehors en raison de la température trop élevée. L'hiver, l'odeur du feu de cheminée remplissait les pièces. J'avais fait construire un four à pain traditionnel que j'allumais dès que je cuisinais. Au sous-sol, j'avais installé mon atelier de peinture où je passais mes soirées. C'était un lieu paisible, propice à la création.

Chapitre 6

LE SEPTIÈME ART

Le septième art… – Une soirée à l'occasion du Festival
– Claude Beylie – Deux moments forts – Le Destin.

Le septième art...

L'engagement de Yeslam dans le monde du cinéma a commencé par hasard à la fin des années 1980. Il avait rencontré Martine, une jeune femme qui faisait partie de l'équipe développant un nouveau festival, à Genève « Stars de demain ». Comme elle n'avait pas de téléphone portable – les premiers venaient à peine de sortir sur le marché – Yeslam a proposé de lui en prêter un pour la durée du festival. De fil en aiguille, il a commencé à subventionner le Festival en offrant une soirée chez lui.

***

Une soirée à l'occasion du festival

Ainsi en l'honneur des « Stars de demain », Yeslam ouvrait le premier étage de son hôtel particulier pour le cocktail. La soirée se poursuivait dans les combles transformés pour l'occasion en discothèque. Près de deux cent cinquante invités participaient à cette soirée, parmi lesquels des vedettes et des personnalités du monde du cinéma. C'était intéressant de voir se mélanger des mondes différents : celui du cinéma, celui de Yeslam et le mien. À l'époque, je saluais toutes ces personnes sans savoir qu'il y avait parmi elles des artistes reconnus et talentueux.

***

Claude Beylie

Lors de l'une de ces soirées, Yeslam a rencontré le critique français de cinéma, Claude Beylie; spontanément ils ont sympathisé. Par la suite, Claude fera en sorte que Yeslam ait la possibilité d'assister aux projections de certains films du Festival de Cannes. J'étais attendrie par Claude et sa femme, Renée. Ils étaient amoureux comme au premier jour, après quarante ans de vie commune.

Ainsi nous avons découvert que le mois de mai peut être celui de la saison des pluies à Cannes. Même si j'avais de sublimes robes longues pour monter les marches du Palais des Festivals, je portais souvent de vieilles chaussures qui ne craignaient pas ces averses. Nous devions alors courir sur le tapis rouge en essayant de ne pas glisser. J'admirais ces stars qui se laissaient photographier imperturbables sous la pluie. Heureusement ce n'était pas si fréquent et le soleil illuminait la plupart du temps la Croisette.

J'ai des souvenirs de foule, de cris, de starlettes, de flashes, d'applaudissements, d'excitation, d'élégance et puis de l'entrée dans cette immense salle de projection. Sur l'écran géant, nous voyions la montée des marches qui se poursuivait quelques mètres derrière nous. Tout à coup, la salle se levait et applaudissait pour saluer l'équipe du film qui allait être projeté. Et très rapidement les spectateurs se rasseyaient. Les premières images défilaient sur l'écran géant...

***

Deux moments forts

À chaque projection, l'équipe du film vivait en direct la réaction des spectateurs. Tout était possible. Les vivats, les sifflements, les huées, les rires, les pleurs... Parfois ça pouvait être extrêmement pénible car le public de Cannes est réputé pour être très critique.

Parmi tous les films que nous avons vus, certains m'ont marquée plus que d'autres : *Dancer in the Dark* de Lars von Trier, *Le Destin* de Youssef Chahine, *Une histoire vraie* de David Lynch, *Tout sur ma mère* de Pedro Almodovar, *O Brother Where Art Thou* de Joel Coen, *La chambre des Officiers* de François Dupeyron, et *Esther Kahn* de Arnaud Desplechin.

Avant la projection de *Dancer in the Dark* de Lars von Trier, une femme de ménage croisée dans le couloir m'avait conseillé d'avoir des mouchoirs dans mon sac.

Le matin même avait eu lieu la première du film et jamais elle n'avait vu autant de femmes et d'hommes émus aux larmes. Cette histoire et l'interprétation de Björk m'ont infiniment touchée et j'avais heureusement un mouchoir pour sécher mes larmes.

Quelques jours plus tard, à la cérémonie de clôture du festival, Björk a été récompensée pour son interprétation. D'un seul élan, la salle s'est levée pour l'acclamer. Tous ceux qui avaient vu le film avaient les larmes aux yeux. Il y avait à côté de moi une femme stupéfaite par tant d'émotion. Elle ne pouvait pas imaginer qu'une histoire puisse autant bouleverser.

Le Destin

En évoquant ce moment, j'ai aussi le souvenir de l'ovation réservée à Youssef Chahine à la fin de la projection du film *Le Destin* - « *Al Massir* ». L'histoire du *Destin* se déroule au XIIème siècle dans le sud de l'Espagne, à Cordoue. Musulmans, juifs et chrétiens vivent en harmonie. Les deux fils du Calife Al Mansour, élevés de façon identique, vont se retrouver sur des chemins opposés.

L'aîné, Nasser, aime les lettres et la poésie, le second, Abdallah, la musique et la danse. Nasser suit les enseignements d'Averroès, un philosophe qui est aussi juge, conseiller et ami du Calife. Le peuple se fie au bon sens et à l'équité d'Averroès. Fidèle à une éthique, celui-ci exprime son opinion, ses oppositions sans craindre le courroux du Calife. Abdallah ne rêve que de devenir danseur. Il passe son temps à la taverne tenue par des gitans. Il est amoureux de l'une des deux soeurs. À l'ombre du Califat se cache un homme politique plutôt influent, le Sheik Riad. Il crée une secte dans laquelle il enrôle des hommes qu'il fanatise. Son but est de soumettre le peuple par une application rigoriste du Coran et de renverser le Calife afin de prendre le pouvoir.

Abdallah, qui subit les reproches et le manque d'amour de son père, sera enrôlé à son insu par les partisans du Sheik. Manipulé, il fera en sorte que son père s'élève contre Averroès, lequel essaie de déjouer les actes des intégristes. C'est le combat de l'obscurantisme contre celui de la connaissance et de la tolérance. Le Sheik obtiendra le bannissement d'Averroès et l'autodafé de toutes ses oeuvres. Mais Nasser réussira à sauver des exemplaires des livres d'Averroès qu'il déposera en Egypte dans les mains d'un autre penseur arabe. Youssef Chahine m'a fait comprendre combien l'utilisation de la religion est révoltante quand elle vise à empêcher l'épanouissement de l'être humain. C'est effrayant de voir qu'on peut se servir de la foi pour manipuler les hommes. Ce film était pour moi une ode à la liberté de penser et d'aimer.

Yeslam et moi étions extrêmement touchés par cette histoire. Nous vivions dans un univers multiculturel ouvert sur les autres; nous étions curieux de leurs modes de vie et de pensée. Nos différences faisaient notre richesse et jamais nos croyances n'ont été un frein aux rencontres et à l'amitié. À travers Yeslam et sa famille, j'ai découvert un islam doux, respectueux de chacun. Alors que nos modes de vie, notre éducation auraient pu nous séparer, je me suis toujours sentie à l'aise dans cette famille. Pour nous, c'était facile de vivre les uns avec les autres. Ce qui importait, c'était que chacun puisse s'épanouir et trouver son propre équilibre. Yeslam considère que tout homme a le droit d'exprimer et de défendre ses idées. Pour lui la révolte peut être saine quand elle vise à protéger et améliorer la vie des individus. Elle ne peut cependant en aucun cas utiliser la violence et le crime pour se faire entendre.

Le film de Youssef Chahine nous mettait sous les yeux le scénario d'un monde qui nous était étranger. Des hommes vivant sereinement dans leur cité devenaient capables de tout balayer en un jour parce que fanatisés. J'étais loin de me douter que cette forme d'intégrisme se répandrait à nouveau dans le monde aussi facilement. Que ce soit dans le monde oriental ou occidental, je condamnerai toujours les attitudes et les comportements excessifs dus à une religion quelle qu'elle soit. Yeslam et moi, nous avons toujours refusé la violence et l'injustice. Nous faisions tout pour vivre dans l'harmonie et la paix.

Yeslam est un homme pacifique qui refuse les querelles. Il m'a appris qu'en prenant le temps de discuter, il y avait toujours une solution à un problème, quel qu'il soit. Avec de la tolérance et de la compréhension, il est plus facile de désamorcer les tensions et de régler les conflits.

Après cette projection, j'étais troublée car j'espérais que le monde gagne davantage en tolérance et je ne pouvais concevoir que certains individus s'élèvent contre les libertés acquises. De plus en plus de personnes voyagent, travaillent ailleurs que dans leur pays d'origine, alors comment vivre si l'on considère que les différences de race, de culture sont une menace pour soi-même. Je n'arrive pas à concevoir que certaines personnes vivent encore sur un mode de peur, de crainte et de rejet de l'autre. Chaque mode de vie et de penser devrait être respecté.

C'est Philippe œuvrant pour le compte de grandes compagnies françaises implantées en Asie, qui, le premier, nous a appris en 1996 l'existence de rapports circulant sur Oussama dans les ambassades françaises. Cependant il n'avait pas eu connaissance du contenu de ces dossiers. Dans les médias, nous entendions déjà parler de camps d'entraînement, et ce film nous mettait sous les yeux un scénario possible. Nous ne pouvions imaginer comment les choses tourneraient, je ne savais pas encore que « Le Destin » qui évoquait un passé lointain reflétait le futur.

Catherine enfant.

Enfant, dans les bras de ma mère.

Ballerine, à l'âge de 6 ans.

*À l'âge de 12 ans, avec mon amie Irène,
en vacances dans le sud de la France.*

À l'âge de 16 ans, à la plage en Espagne.

Avant d'assister à une cérémonie civile de mariage à l'été 1997, posant devant un portrait de Yeslam en habit saoudien, dans son hôtel particulier de Genève.

Mohamed Bin Ladin, qui entretenait des liens privilégiés
avec la monarchie, photographié avec Abdul Aziz Al Saoud,
père de l'actuel roi d'Arabie Saoudite.

Le père de Yeslam, Mohamed, examinant des plans de construction avec le roi.

Mohamed Bin Ladin photographié dans les années cinquante avec le roi d'Arabie.

Mohamed Bin Ladin présent dans l'un de ses nombreux chantiers en Arabie, au début des années soixante. Là où les autres abandonnaient, lui persistait.

Mohamed Bin Ladin était propriétaire de la plus grande flotte privée de machines Caterpillard au monde. Il a construit des routes et des aéroports toujours utilisés aujourd'hui en Arabie.

Portrait de Mohamed Bin Ladin.

Rentrée scolaire de Yeslam au Liban, en présence de son père et du gardien ayant la responsabilité des enfants.

Yeslam, adolescent à l'époque où il étudiait au Liban.

Yeslam et sa famille en vacances en Suisse, été 1973. De gauche à droite, sa mère, Rabab, ses frères Khalil et Ibrahim, sa soeur Fawzia et Yeslam.

Odile, Charles et Patrick, à Megève le 31 décembre 2000.
Nous avions célébré avec Yeslam et de nombreux autres amis
l'arrivée du Nouvel an à l'hôtel Lodge Park.

Yeslam avec, à sa gauche, sa soeur Fawzia et au centre, le mari de Fawzia, Mohamed. Ils
étaient venus d'Arabie pour passer deux semaines avec nous à Megève, à la montagne.

*Yeslam photographié durant l'été 1996
au bord de la piscine d'un grand hôtel de Cannes.*

Orient et Occident : Yeslam devant un portrait de lui en habit saoudien, tableau réalisé par une peintre américaine.

Yeslam adolescent, en tenue saoudienne traditionnelle.

*Sur le tarmac de l'aéroport de Genève devant son King Air C90b,
Yeslam avec ma tante Karin.*

*Au Festival de Cannes en mai 1997, Claude Beylie, grand critique de cinéma,
aujourd'hui décédé, et son épouse Renée, photographiés
avec Yeslam et moi sur la Terrasse du Midi.*

Hiver 1998, à l'Auberge du Grenant à Megève.

*Yeslam et moi buvant un café sur la terrasse de l'hôtel Hilton
avant la montée des marches du Festival de Cannes, en mai 1998.*

Yeslam et moi, au Fer à Cheval à Megève, le 31 décembre 1999.

Avec Erika Wanner, lors d'un gala, en novembre 2005.

Avec Yeslam, à l'Hôtel Intercontinental de Genève, en novembre 2005.

Chapitre 7

... *ET LE SEPTIÈME CIEL*

Pour être libre – Un avion biturbine à quatre places – Une panne du moteur droit – Un jet – Deux passionnés d'aviation – Un couple en péril – Patrick prend sa retraite... et des cours de pilotage – Patrick rate son examen de pilotage... en Floride.

Pour être libre

Depuis son plus jeune âge, Yeslam est passionné par les avions. Lors d'un séjour en Angleterre, il a obtenu sa licence privée de base de pilote. Lorsqu'il a poursuivi ses études à Los Angeles, il volait souvent avec un monomoteur jusqu'à Las Vegas ou dans le désert de l'Arizona.

Comme ses licences étaient échues, Yeslam a entrepris en 1992 les démarches nécessaires pour obtenir sa licence suisse de pilote. Il voulait à nouveau être aux commandes d'un avion. Très souvent je l'accompagnais à ses cours et c'est ainsi que j'ai découvert les petits aéroports aux alentours de Genève.

***

Un avion biturbine à quatre places

En juillet 1993, après avoir réussi les examens, Yeslam s'est acheté un King Air C90a d'occasion et nous avons commencé à multiplier les escapades en avion. Nous pouvions décider à la dernière minute de passer la journée à la plage à Cannes ou de nous rendre à Milan pour faire du shopping. Le soir-même nous étions de retour à Genève. Nous aimions aussi nous rendre en Sardaigne pour la journée. Nous gardions toujours une petite valise avec le minimum nécessaire dans le King-Air si jamais nous décidions de passer la nuit dans un lieu qui nous plaisait. C'était magique de pouvoir se balader aussi librement. Nous avons découvert une multitude de villes françaises, italiennes, allemandes, espagnoles.

La décontraction et la désinvolture de Yeslam l'ont souvent fait passer pour un employé. Je me rappelle qu'un technicien de l'aéroport, me prenant pour l'hôtesse, me fit remarquer que mon employeur avait l'air sympathique (c'était notre pilote...) et qu'il était rare de trouver des pilotes arabes travaillant en Suisse! Cela nous fit bien rire tous les trois...

Il y avait toujours un pilote qui nous assistait pour plus de sécurité. À l'époque, celui-ci était américain et aussi instructeur. C'est avec lui que j'ai commencé à étudier dans le but d'obtenir ma licence privée. Chaque matin, il me donnait un cours théorique et ensuite il était à la disposition de Yeslam. Avec les nombreuses heures de vol que nous faisions chaque semaine, le vocabulaire de l'aviation m'était devenu familier.

Voyant mon intérêt, Yeslam m'a proposé d'aller aux États-Unis pour y obtenir un brevet de pilote. Il souhaitait que je devienne son co-pilote mais je ne m'imaginais pas me séparer de lui pendant trois mois et j'ai refusé sa proposition. Apprendre à piloter demeure un rêve auquel je n'ai pas renoncé et que je réaliserai si la vie m'en donne l'occasion.

***

Une panne du moteur droit

Deux ans plus tard Yeslam a décidé d'acheter un avion du même modèle, mais de la série plus récente : le King Air C90b, sur lequel un dispositif antibruit avait été installé, permettant ainsi de réduire le niveau sonore dans la carlingue. L'intérieur de l'avion était superbe, tout en cuir gris foncé.

Un jour, alors que nous survolions la ville de Dijon et que j'étais sur le point de m'endormir, j'ai brusquement senti quelque chose d'inhabituel. J'ai demandé à Yeslam ce qu'il se passait et il m'a répondu que tout allait bien. Je suis donc restée tranquille. Tout à coup, j'ai vu à travers le hublot que l'hélice droite était immobile ! J'ai crié après Yeslam qui m'a confirmé que nous avions bel et bien une panne de moteur. « Rendors-toi ! » me dit-il, comme si de rien n'était! Bien évidemment je suis restée éveillée et j'ai suivi toute la conversation avec la tour de contrôle. À chaque incident, j'essayais de rester calme. Je savais que si j'étais stressée, je n'aurai fait que gêner les pilotes.

J'observais et j'attendais patiemment que des solutions soient trouvées.

Ce type d'avion ne peut conserver la même altitude avec un seul moteur; il a donc fallu demander l'autorisation de voler à plus basse altitude afin de stabiliser l'avion et faire demi-tour pour rentrer à Genève. Inquiète, l'aiguilleuse du ciel qui nous guidait de la tour de contrôle a demandé à Yeslam s'il était certain de vouloir atterrir à Genève. S'il y avait un problème à l'atterrissage, cela entraînerait la fermeture totale de l'aéroport jusqu'à l'évacuation de l'appareil de la piste. Les aiguilleurs auraient mille fois préféré que nous nous posions à Lyon-Bron par exemple. Finalement, nous avons atterri sans incident et les pompiers nous ont escortés jusqu'au parking. Avec Yeslam aux commandes, je me sentais toujours en sécurité. Je l'étais moins lorsque je devais effectuer des vols avec un autre pilote.

***

Un jet

Yeslam a fini par commander un jet. D'une taille à peu près similaire à celle du King Air, cet avion est équipé de deux moteurs jets. Yeslam a dû suivre un cours de formation pour piloter ce nouvel appareil. J'ai assisté à tous les exercices d'entraînement tels que pannes de moteur après le décollage, atterrissages avec remise de gaz, et simulations de situations dangereuses. Le défi était de faire décrocher l'avion puis de le récupérer. C'était impressionnant.

Il m'arrivait de dormir dans l'avion sous le regard stupéfait de l'instructeur qui avait refusé de me laisser embarquer le premier jour d'entraînement sous prétexte que j'allais être malade ! Mais pour moi c'était comme le Grand Huit de la fête foraine. Je partais m'amuser comme lorsque j'étais enfant. Il était hors de question que je reste sur le tarmac lors de ce premier entraînement ! Au décollage, la sensation fut vraiment différente. Quelle puissance ! Je me suis retrouvée plaquée dans le siège. À peine l'avion avait-il décollé, que l'instructeur coupa l'un des moteurs et là, surprise, l'avion est resté sur sa lancée. C'était incroyable, cela n'avait rien à voir avec les avions à hélices. Ces moments sont exceptionnels car il est vraiment rare d'assister aux performances d'un avion.

J'ai choisi la décoration intérieure de l'avion : la couleur du bois, des moquettes, du cuir des sièges. Il existe aussi une foule d'options telles que lecteur de disques compact et le lecteur de DVD avec écran pour chaque siège. Quatre passagers peuvent prendre place à bord. Le principal inconvénient de cet appareil est la taille réduite de sa soute à bagages. De tous les avions que Yeslam a possédés, celui-ci est mon préféré; j'aimais la sensation de puissance et de confort qu'il procurait.

***

Deux passionnés d'aviation

Nous allions souvent à Cannes les week-ends et nous en sommes venus à connaître de vue tout le personnel de l'aéroport de Cannes-Mandelieu, que ce soit les douaniers ou certains employés de la PAF, la Police de l'Air et des Frontières. Patrick était l'un de ceux-ci. C'est un homme qui avait de la présence, du charme et un certain charisme. Après quelques années passées à nous saluer, nous nous sommes vus une première fois en dehors de l'aéroport, au Carlton, pour un brunch. C'était le dimanche 12 avril 1998. Nous avons discuté de choses et d'autres : la piste de l'aéroport de Mandelieu allait-elle être agrandie pour que de plus gros porteurs puissent se poser ? Les riverains risquaient-ils de gagner leurs revendications concernant le bruit et les heures d'ouverture? Enfin nous échangions sur tout ce qui peut concerner un aéroport de taille moyenne.

Lors de cette première rencontre, Patrick est venu accompagné d'Odile. Nous nous sommes beaucoup amusés. Avec le temps, nous nous retrouvions de plus en plus souvent pour dîner ou boire un café. Ils nous faisaient découvrir des petits restaurants typiques de la région. Odile et Patrick se sont mariés en juillet 1998. C'était le début d'une belle histoire, pensait-on. Patrick nous a aussi présenté deux de ses enfants nés de précédents mariages. Le souvenir que j'ai de sa fille est celui d'une jeune femme douce et très intelligente.

Les deux hommes se passionnaient pour les avions, ce qui constituait leur principal sujet de conversation. Patrick s'était même procuré un logiciel d'ordinateur permettant de simuler des décollages et des atterrissages avec divers modèles d'avions, et ce, dans différents aéroports; un jeu passionnant auquel il s'adonnait avec plaisir. Yeslam et Patrick échangeaient ensuite leurs impressions, l'un à partir d'une expérience vécue, l'autre, d'une simulation.

***

Un couple en péril

En juin 2000, Odile m'a fait des confidences : leur couple n'allait plus très bien et elle s'inquiétait. Lorsqu'elle proposait à Patrick de faire une balade le week-end, il déclinait son offre parce qu'il attendait un coup de téléphone de Yeslam. Tout ce qui l'intéressait, c'était de passer le plus de temps possible avec celui qu'il admirait tant.

Je me rappelle très bien lui avoir dit que souvent, je voyais des hommes qui, petit à petit, modifiaient leur comportement en fréquentant Yeslam. Ils devenaient obsédés par lui, ils pensaient pour lui et jugeaient l'attitude des autres vis-à-vis de lui. Ils essayaient de comprendre sa façon d'agir, de penser et de vivre pour calquer leur comportement sur le sien afin de se faire accepter. Le fait que Yeslam les voit pour un café de temps en temps leur faisait croire que de forts liens d'amitié sont en train de se tisser, ce qui n'est pas le cas la plupart du temps.

A mon avis, Patrick n'y échappait pas. Il semblait de plus en plus admiratif et attendait impatiemment chacune de ces rencontres. Yeslam était devenu sa nouvelle raison de vivre et il était persuadé qu'ils avaient un lien privilégié. Il mettait ainsi sa vie de couple en péril.

Quand j'ai expliqué cela à Odile, elle ne m'a tout d'abord pas crue. Elle ne pouvait pas concevoir que son mari soit fasciné par Yeslam au point de laisser partir sa vie de couple à la dérive, lui qui avait su la convaincre avec tant de délicatesse de l'épouser. Elle était très choquée de voir qu'une relation amicale était devenue plus importante que leur couple. Elle ne comprenait pas pourquoi Yeslam fascinait tant son mari.

***

Patrick prend sa retraite...et des cours de pilotage

Patrick a pris une retraite anticipée au mois de décembre 2000, alors qu'il avait la possibilité de travailler encore quelques années. Je pense qu'il avait envie de devenir un intime de Yeslam afin de voyager avec lui, d'être son bras droit. Patrick imaginait déjà la belle vie qu'ils pourraient mener ensemble. À ce moment-là, vivre en couple lui est certainement apparu comme un fardeau dont il fallait se débarrasser.

À l'automne, sachant que Patrick allait bientôt prendre sa retraite, Yeslam lui a proposé d'aller suivre un cours de pilotage aux États-Unis. Là-bas, l'apprentissage théorique et pratique peut être réalisé en un mois. Yeslam savait qu'il rêvait de ressentir les sensations du pilote dans un avion bien réel. Il lui a offert cette formation, tout en le prévenant que cela ne lui donnerait pas les qualifications nécessaires pour l'assister en tant que co-pilote.

Patrick a aussitôt accepté, heureux de réaliser son rêve. Ainsi il aurait, lui aussi, un brevet de base. Pour Yeslam, ce cadeau ne signifiait pas nécessairement le début d'une plus grande amitié. C'est sans doute à ce moment-là que Patrick a mal interprété ce geste. C'était pour lui la preuve d'une intense amitié. Pour Yeslam, c'était un simple élan du cœur, un geste de générosité comme il en a toujours eu et en aura encore longtemps.

Nous avons passé les vacances de fin d'année à Megève. Nous avions loué un petit appartement au pied du Jaillet pour Odile et Patrick. Malgré les nuages qui planaient sur leur couple, nous voulions fêter la Saint-Sylvestre avec bonne humeur et avons invité bon nombre d'amis de Genève à nous rejoindre au Lodge Park. L'année a commencé avec de grands éclats de rire.

***

Patrick rate son examen de pilotage... en Floride

Yeslam employait à l'époque un pilote américain qui avait travaillé pour la marine américaine. L'un de ses amis était responsable de la formation dans une école de pilotage, en Floride. Il s'est chargé d'inscrire Patrick dans cette école située à Milton, à 50 Km de Pensacola, en Floride du Nord. Il a également organisé le séjour de Patrick, notamment les réservations d'hôtel, les repas, la location de voiture, les billets d'avion. Le 26 février, un paiement a été émis du bureau de Genève pour réserver la formation.

Avant que Patrick ne parte aux États-Unis, Odile lui avait demandé de ne plus rentrer à la maison. Elle s'engageait sur un chemin difficile, celui de la séparation. Patrick a quitté Cannes pour la Floride à la fin du mois de février 2001. Il y est resté un mois. Pour suivre la formation de pilote, son niveau de connaissance de la langue anglaise était suffisant pour l'apprentissage théorique mais pas pour la pratique. Il lui était difficile de comprendre correctement les ordres en provenance de la tour de contrôle et d'y répondre clairement à son tour. Il a apparemment réussi le test écrit, mais pas la pratique et il a donc échoué aux examens.

Au lieu de rester une semaine supplémentaire afin de pratiquer davantage le vocabulaire nécessaire en vol et de se préparer à passer un examen de rattrapage, Patrick est rentré en France. Nous n'avons jamais compris pourquoi il n'avait pas persévéré.

J'ai continué à voir Odile. J'étais à ses côtés lorsqu'elle s'est séparée de Patrick. Notre amitié s'est solidifiée pendant cette année-là. Nous sommes allées toutes les deux à Lourdes au mois d'avril 2001. Une vague de froid déferlait à ce moment-là sur l'Europe. C'était beau. J'aime cette ville. Ce n'était pas ma première visite à Lourdes. C'est un endroit particulier, rempli d'une belle énergie où j'aime me retrouver. Les paysages sont superbes avec toutes ces petites montagnes autour de la ville. Je pensais que c'était l'endroit idéal où elle pourrait se ressourcer et puiser de nouvelles forces pour affronter sa vie.

Chapitre 8

COMMENT LA CIA A TENTÉ
DE RECRUTER YESLAM

*Oussama fait parler de lui – Yeslam pour cible – Un agent secret ? –
Ben et son épouse – Ben se met au travail – La confirmation que Ben
est un agent de la CIA – Comme ce que l'on voit dans les films – Pas
question de travailler pour la CIA – Ben se fait menaçant – La CIA
veut un profil psychologique ! – Nouvelle intimidation – La police –
On tente de compromettre Yeslam – Un transfert de 1 666 666 dollars
américains…*

Oussama fait parler de lui

La première fois qu'Oussama nous est apparu à la
télévision, c'était au journal de vingt heures. Nous étions
à Megève. Quel choc ! On le désignait comme le
responsable présumé d'attentats perpétrés en Arabie. Deux
ans plus tard, des attentats étaient perpétrés en Afrique
contre deux ambassades américaines. Des kamikazes
avaient foncé droit sur les ambassades à bord de camions
remplis d'explosifs; bilan, 224 morts. Il était à nouveau
désigné comme responsable présumé. Il est tout à fait
terrible et déstabilisant d'apprendre qu'un membre de
votre famille est présumé responsable d'attentats
terroristes.

Cet acte nous fit comprendre qu'Oussama était déterminé et prêt à tout pour se faire entendre. On allait faire des amalgames entre Yeslam et son demi-frère. Désormais lorsque nous voyagions, les procédures de vérification d'identité prenaient systématiquement plus de temps à chaque fois que Yeslam montrait son passeport saoudien.

Quelques mois plus tard, il est rentré un soir en me confiant avoir été approché par une personne qu'il soupçonnait être membre des services de renseignements américains, la *Central Intelligence Agency* (CIA). Je ne l'ai évidement pas cru. Il insistait. J'ai pensé qu'il me faisait un scénario digne d'un film d'espionnage. Je l'ai regardé en souriant, «Mais oui James, et pourquoi la CIA s'intéresserait-elle à toi »? Il me raconta alors son déjeuner à l'ambassade saoudienne de Genève qui célébrait les cent ans du Royaume d'Arabie Saoudite. C'était le 25 février 1999.

***

Yeslam pour cible

Lors de cette réception, un Américain, Ben, s'est présenté à lui comme étant le premier secrétaire auprès de la mission américaine à Genève. Il souhaitait obtenir un rendez-vous afin de lui poser quelques questions de la part du gouvernement américain, en lui précisant que si la prise de contact n'avait pas eu lieu ce jour-là, il aurait trouvé un autre moyen pour le rencontrer.

Un agent secret ?

Dans les jours qui ont suivi, Yeslam a fait procéder à la vérification de l'identité de Ben par l'entremise d'un ami américain, avocat, fils d'un ancien gouverneur et ex-ambassadeur. Puisque le nom de Ben ne figurait sur aucune liste du secrétariat d'État, il devenait alors plausible, voire vraisemblable, que Ben fasse plutôt partie des services de renseignements américains.

Je commençais à réaliser que nous n'étions pas dans un film. J'avais peur pour Yeslam. Ce qui était en train de se mettre en place dépassait mon entendement. Malgré mes réticences, Yeslam donna suite à la requête de celui qu'il considérait maintenant comme un agent de la CIA, et lui fixa un rendez-vous le 2 mars 1999, à l'Hôtel Intercontinental, à l'heure du lunch. Yeslam m'a confié que leur conversation n'avait porté que sur des sujets d'intérêt général et qu'ils avaient convenu de se revoir quelques jours plus tard.

***

Ben et son épouse

Je fis la connaissance de Ben, le dimanche 7 mars 1999. Il était accompagné d'une femme qu'il nous a présentée comme son épouse. Nous avions rendez-vous à Megève, au *Cintra*, pour l'apéritif. Nous avons ensuite déjeuné aux *Fermes de Marie*. Puis nous nous sommes promenés dans le village et avant de nous quitter, nous avons pris un café au *Lodge Park*.

Au cours de cette journée, je constatai que ces Américains étaient bien éduqués, raffinés, agréables à fréquenter, et plein d'humour. Ils nous ont raconté qu'ils avaient travaillé précédemment dans deux autres pays d'Europe et qu'ils avaient deux enfants qui étudiaient à Genève, mais qu'ils ne nous ont jamais présentés. Lors de cette première rencontre, je n'ai pas eu l'impression d'avoir affaire à des agents de la CIA. Nos rapports étaient cordiaux et j'avais le sentiment qu'ils auraient pu devenir des amis. Ils n'ont pas cherché à obtenir des renseignements de quelque nature que ce soit. La conversation s'est déroulée en anglais, comme toutes les suivantes d'ailleurs.

Mais tout cela me dérangeait et me laissait un sentiment désagréable. Certes, ils étaient sympathiques, mais nous ignorions qui ils étaient réellement et ce qu'ils cherchaient. De ce fait, j'étais sur le qui-vive. J'avais la sensation qu'ils opéraient, sans en avoir l'air, une intrusion dans notre vie privée. J'ai fait part de mon malaise à Yeslam. Je ne voulais plus qu'il les laisse s'immiscer dans notre couple. Il comprenait mes angoisses, mais il m'a demandé de lui faire confiance, et m'a assuré que jamais il ne me placerait dans une situation délicate.

Il souhaitait que ces gens-là puissent voir sa façon de vivre, ses fréquentations, sa manière d'être. Il n'avait rien à cacher. Il les laisserait faire.

***

Ben se met au travail

Le 9 mars, Yeslam et Ben ont déjeuné ensemble chez *Roberto*. Ben a alors réitéré à Yeslam l'intérêt de son gouvernement à obtenir des réponses à certaines questions. Deux jours plus tard, il s'est rendu au bureau de Yeslam pour lui poser enfin, en privé, les questions formulées par Washington. En clair, le gouvernement américain souhaitait en savoir davantage sur Oussama et la famille. Ben voulait connaître la place d'Oussama dans la fratrie, s'il avait des frères et soeurs de la même mère. Il souhaitait savoir si Oussama entretenait des liens avec Yeslam ou avec le reste de sa famille. Des questions concernant l'héritage familial et l'organisation de l'entreprise ont été soulevées. Yeslam a répondu à toutes les questions. Il a rappelé que sa famille avait fait publier dans un journal en 1994 une déclaration afin de se démarquer des propos et des actions d'Oussama. Yeslam se souvenait l'avoir aperçu pour la dernière fois, en 1981 lors d'un rassemblement familial en Arabie.

Je me souviens fort bien de ce qu'il m'a dit en rentrant : il avait le sentiment que ce n'était pas seulement Oussama qui l'intéressait, mais bien plus, sans être en mesure de préciser de quoi il s'agissait. Ce que Yeslam souhaitait, c'était que Ben et la CIA se rendent compte qu'il était intègre, qu'il n'avait pas d'intérêt à collaborer et ne voulait pas être mêlé de près ou de loin à quoi que ce soit concernant Oussama ou l'Arabie Saoudite. Il avait laissé derrière lui famille et pays et par conséquent, tous les problèmes inhérents, aussi bien familiaux que politiques.

Quelques jours plus tard, Yeslam a fait parvenir une note à l'ambassadeur saoudien à Genève pour l'informer des agissements de la CIA à son encontre et lui préciser qu'il demeurait à sa disposition si besoin était.

***

La confirmation que Ben est un agent de la CIA

Erika Wanner est à l'origine du Bal du Printemps qui a lieu à Genève chaque 21 mars. C'est un gala de charité destiné à la collecte de fonds pour la recherche sur la paraplégie. Yeslam invita Ben et sa femme, ainsi que son ami le consul saoudien, Abdul, à cette soirée. Ben pourrait ainsi constater que Yeslam entretenait toujours des relations cordiales avec son pays d'origine.

Or, au dernier moment, son ami Abdul s'est décommandé sans aucune justification. C'était la première fois qu'il faisait ainsi faux-bond et qu'il se rendait injoignable. Yeslam était désorienté, il réalisait que quelque chose lui échappait sans savoir quoi exactement. Pendant le dîner, Ben m'a longuement questionnée sur mes origines et mon passé. Il voulait avoir des détails sur ma famille, les études que j'avais faites, les emplois que j'avais occupés et les entreprises concernées. Il souhaitait connaître nos projets de couple. Sous le couvert d'une conversation amicale, il a procédé à un véritable interrogatoire pour obtenir le plus d'informations possibles. Je voyais son manège, c'était désagréable. J'ai répondu à ses questions poliment mais en évitant de donner trop de détails. À la fin de la soirée, nous avions le sentiment que nous étions confrontés à une entité visqueuse et insidieuse.

Quelques jours plus tard, nous avons appris que c'était à la demande expresse de l'ambassadeur saoudien que le consul Abdul avait dû se décommander, et ce, en raison de la présence de services étrangers à la table de Yeslam. Nous avions là une confirmation probante que Ben travaillait bien pour la CIA !

Nous avons été ensuite informés que Ben lui-même avait renseigné l'ambassadeur saoudien sur le fait qu'il était l'invité de Yeslam lors de cette soirée. Il nous est apparu évident que Ben avait interféré afin que Yeslam se retrouve seul, sans l'appui des représentants officiels de son pays d'origine. Ainsi il serait isolé et pourquoi pas déstabilisé.

***

Comme ce que l'on voit dans les films

Nous avions décidé de continuer à vivre selon nos habitudes. Puisque Ben tenait tant à découvrir ou à obtenir quelque chose de Yeslam, nous allions le laisser vivre dans notre entourage parmi les autres personnes que nous fréquentions. C'était la seule façon de réagir afin de sauvegarder notre équilibre.

Des rencontres sporadiques ont eu lieu jusqu'au mois de mai. Nous avons invité Ben et son épouse au Festival du Film à Cannes. Nous avons quitté Genève tous ensemble, le 19 mai 1999, à bord du jet de Yeslam, pour atterrir à l'aéroport de Cannes-Mandelieu une heure plus tard environ. Arrivés à la maison, nous avons troqué nos jeans contre des robes longues et des smokings. Daniel nous a alors conduits au Palais des Festivals pour la montée des marches.

Après la projection du film, *Ghost Dog* de Jim Jarmush, nous avons dîné sur la terrasse du Carlton, ce palace mythique de la côte d'Azur. En rentrant à la maison, l'épouse de Ben nous a remerciés car elle venait, disait6-elle, de vivre une soirée de rêve, « comme dans les films ». D'un seul coup, je ne voyais plus une femme en mission, mais une femme à visage humain, éblouie par la magie d'un univers qui lui était inconnu. Ses yeux brillaient de plaisir. Puis elle est partie dans la maison d'amis afin de changer de toilette. Fait plutôt insolite, à son retour dans le salon, Kim, notre adorable Golden Retriever, a aboyé contre elle. C'était la première fois que nous voyions Kim montrer les dents ainsi... Nous avons terminé la soirée à discuter autour d'un verre.

***

Pas question de travailler pour la CIA

Le 26 mai 1999, Yeslam et Ben se sont retrouvés pour prendre un café au *Bleu-Rhône*. Ben a annoncé qu'il rentrait aux États-Unis avec sa femme et ses enfants pour les vacances d'été. Il voulait savoir si Yeslam avait un message à transmettre aux autorités américaines. Yeslam lui a répondu qu'il n'avait rien à ajouter aux réponses apportées précédemment. Il a ajouté qu'il était hors de question pour lui de collaborer avec des services étrangers, par simple éthique personnelle. Il lui avait ouvert sa porte, montré qu'elle était sa vie afin qu'il voit que son existence était simple, agréable, et sans aucune complication et qu'il souhaitait la préserver ainsi.

Mais si Ben le souhaitait, Yeslam accepterait volontiers de lui présenter ses frères aînés qui, eux, pourraient l'introduire auprès des responsables du gouvernement saoudien, s'il désirait les rencontrer. Yeslam précisa qu'il ne voulait pas être mêlé à des activités qui ne le concernaient pas, d'autant plus qu'il avait refait sa vie en Suisse, pays où il avait d'ailleurs déposé une demande de naturalisation, information qu'il regrettera d'ailleurs plus tard avoir livrée à la CIA. Enfin, il réaffirma à Ben qu'il ignorait tout des activités de son demi-frère Oussama, qu'il n'avait d'ailleurs pas revu depuis près de vingt ans. Il ne pouvait donc rien faire pour lui. Par contre, Yeslam assura Ben de son amitié et l'invita à reprendre contact avec lui à son retour des États-Unis.

***

Ben se fait menaçant

Au retour des vacances, les deux hommes se sont revus pour jouer au tennis et pour déjeuner. A l'occasion de l'une de ces rencontres, Ben lui avait raconté qu'un moyen courant de récompenser les services rendus par certaines personnes était une nouvelle identité, avec un nouveau lieu de résidence, et surtout de l'argent; c'était le moteur essentiel pour amener les gens à collaborer. Cela fit sourire Yeslam; Ben avait évidemment conscience que ce n'était pas un moyen d'obtenir « l'aide » de Yeslam.

Ce n'est que bien plus tard que Ben est revenu à la charge, lors d'un repas pris le mercredi 13 octobre à midi trente, au restaurant gastronomique de l'aéroport de Genève. Il a renouvelé à Yeslam une proposition de collaboration avec le gouvernement américain. On savait que Yeslam avait suffisamment d'argent pour vivre et par conséquent on lui offrait une somme sans aucune mesure avec ce qui se pratiquait couramment. En revanche, si Yeslam refusait, il pourrait alors être l'objet de représailles. Ben insinua que les Américains détenaient un certain pouvoir en Suisse.

***

La CIA veut un profil psychologique !

À la grande stupéfaction de Yeslam, Ben lui a proposé une rencontre avec des psychologues américains, l'objectif étant de dresser son profil psychologique ! L'idée était d'utiliser la psychologie comportementale de Yeslam pour dresser ou compléter un portrait psychologique d'Oussama. Yeslam a refusé catégoriquement, expliquant encore une fois sa position : « Je veux rester en dehors de tout cela, je ne suis impliqué dans rien et je ne veux surtout pas être mêlé à quoi que ce soit. »

Devant le refus de collaborer de Yeslam, Ben déclara que dorénavant, il ne pourrait plus le fréquenter. Yeslam a répondu qu'il comprenait et qu'il en était désolé. Ce que Yeslam comprenait, en fait, c'était que l'on exerçait sur lui une pression directe, situation qui se reproduira d'ailleurs une seconde fois. Il n'était pas dupe: la CIA, en dressant son profil psychologique, pourrait ainsi connaître ses faiblesses et n'hésiterait pas à les utiliser contre lui.

L'ambiance devenait malsaine, nous sentions que l'étau se resserrait. Nous ne savions pas s'ils pouvaient mettre leurs menaces à exécution ou si ce n'était que de l'intimidation. Nous étions choqués. Nous avions conscience que la mission de Ben avait échoué. Qu'allait-il inventer pour faire plier Yeslam? Nous n'avions plus de maîtrise sur les événements, tout pouvait déraper.

***

Nouvelle intimidation

Après deux mois sans aucune nouvelle, Yeslam reçut un appel de Ben, le lundi 13 décembre 1999. Celui-ci avait un message très urgent à lui communiquer. Les deux hommes se sont rencontrés le jour même. Selon Ben, des rumeurs à *l'Agence* laissaient entendre que les avoirs de Yeslam allaient être « gelés ». Yeslam a répondu que si cela devait arriver sa vie ne serait en rien modifiée, et que le « gel » ne pourrait pas se prolonger étant donné qu'il n'avait rien à se reprocher. Nouvelle tentative d'intimidation et nouvel échec pour Ben. Yeslam espérait s'être suffisamment positionné pour ne plus être importuné à l'avenir.

Yeslam n'était pas surpris. Il avait envisagé que les agents américains fassent geler ses avoirs puisqu'ils n'avaient aucune alternative pour le contraindre à collaborer. Si cela devait arriver, nous mènerions alors une vie moins agitée, moins de voyages, sans doute moins de dépenses, moins de restaurants mais, après tout, quelle importance, nous étions un couple uni et heureux, et c'était notre plus grande force.

***

La police

Un mois plus tôt, le 3 novembre 1999, Yeslam avait informé par écrit l'ambassadeur saoudien à Genève de la visite, le 27 octobre à son bureau, de deux inspecteurs, l'un de la Police fédérale suisse et l'autre de la Sûreté de Genève, et ce dans le cadre de sa demande de naturalisation. Yeslam signala également à l'ambassadeur les pressions exercées par Ben pour l'amener à collaborer avec les services de renseignements américains, en lui précisant qu'il avait bien évidemment refusé d'être mêlé à leurs activités.

Les inspecteurs avaient tenu à rencontrer Yeslam pour lui poser des questions sur la famille Bin Ladin et en particulier sur Oussama. Yeslam leur avait expliqué que la famille avait coupé les liens avec Oussama, qui n'était plus citoyen saoudien, et qu'elle condamnait tout à fait les activités de ce dernier.

Par la suite, il informera également le Chef de la division de lutte contre l'extrémisme et le terrorisme à Berne des agissements de Ben à son encontre. C'était pour lui intolérable de penser qu'il pourrait perdre son libre-arbitre et devenir contre son gré l'objet d'une manipulation. Il n'avait rien à se reprocher. Apparemment dans cette situation, s'il ne cédait pas au chantage exercé par Ben, s'il refusait de devenir l'instrument de la CIA, alors il pourrait être désigné comme un ennemi. C'était diabolique.

Nous n'avions qu'un seul interlocuteur, Ben, dont nous ignorions l'identité véritable et derrière lequel se cachait un organisme au pouvoir obscur et illimité. Il faut être extrêmement solide pour affronter une telle situation. Il peut y avoir d'énormes moments de doute de soi comme de l'autre. Il faut être suffisamment construit pour ne pas perdre pied et s'accrocher à sa propre vérité. Si je n'avais pas fait tout ce travail sur moi, si je n'avais pas pris conscience de qui j'étais, je n'aurais peut-être pas su épauler Yeslam dans cette aventure. Si nous avions été plus fragiles, cela aurait pu détruire notre couple.

***

On tente de compromettre Yeslam

Près d'un an plus tard, le mercredi 20 décembre 2000, nous quittions Genève pour nous rendre à Cannes. Yeslam venait d'acheter un superbe Mercedes coupé 600 Cl noir qu'il fallait absolument essayer.

Étrangement, ce jour-là, nous avons parlé de Ben. Nous n'avions plus eu de ses nouvelles depuis le 13 décembre 1999. Pendant l'année écoulée, la procédure de naturalisation de Yeslam avait pris du retard. Alors que rien ne le laissait présager, sa demande de naturalisation avait été rejetée. Ses avocats avaient eu confirmation qu'il y avait eu des ingérences de services étrangers dans son dossier. Nous réalisions que Ben avait sans doute mis ses menaces à exécution.

Nous nous demandions quelles pourraient être encore les autres manoeuvres inventées pour discréditer Yeslam. En nous remémorant les événements passés, je lui dis qu'ils avaient quasiment tout essayé excepté peut-être des transferts d'argent d'origine douteuse. C'était sans doute l'un des moyens les plus faciles pour compromettre une personne.

***

Un transfert de 1 666 666 dollars américains...

Incroyable coïncidence, à peine une heure plus tard, alors que nous poursuivions notre route, Yeslam reçut un appel téléphonique du courtier en charge de ses comptes. Celui-ci lui annonçait un transfert provenant d'un pays européen pour le compte de Yeslam, d'un montant de 1'666'666.- dollars américains !

Il l'appelait pour savoir sur quel compte le créditer. Yeslam n'attendait aucune rentrée d'argent et il lui a demandé de refuser ces fonds en lui précisant qu'il devait s'agir d'une erreur. Il lui a recommandé d'être extrêmement vigilant, et ce pour les mois à venir. Il lui a immédiatement fait acheminer une lettre à Londres lui enjoignant de n'accepter ni de faire quelques versements que ce soient sans autorisation écrite de sa part. Curieusement, le transfert provenait d'un établissement bancaire situé dans l'un des deux pays d'Europe où Ben avait travaillé…

Bien souvent nous avions pensé que cela s'arrêterait quand on constaterait que Yeslam ne reviendrait pas sur sa position. Cela aurait pu devenir un cauchemar, mais heureusement nous avons su prendre le recul nécessaire et rire parfois de tout cela en nous demandant quelle serait la prochaine tactique mise en oeuvre pour nous surprendre. Tout semblait bon pour nous déstabiliser mais ce qu'on ignorait, c'était notre foi inconditionnelle dans la vie.

Il nous fallait vivre un jour après l'autre pour ne pas être submergés par tous ces actes d'intimidation. Heureusement que nous étions inconscients que cela se prolongerait encore dans le temps.

Chapitre 9

CITOYENNETÉ SUISSE ET REPRÉSAILLES DE LA CIA

Un préavis positif du canton de Genève – L'Office fédéral de Berne donne son accord... – ...mais pas le Conseil d'État – Une ingérence étrangère – Intervention de la CIA ? - Les radeaux – Yeslam refuse de quitter le canton de Genève – Déménager n'était pas la meilleure des solutions – Qui ne dit mot... ne consent pas toujours – Un livre qui ne méritait pas de publicité – Une ineptie juridique – L'unanimité en faveur du recours de réexamen – L'intervention de la CIA – Rétabli dans son honneur – Citoyen suisse ! – Rien n'a été divulgué – La sympathie de beaucoup de gens et d'amis – Plus aucune nouvelle de l'agent de la CIA – Garder confiance.

Yeslam souhaitait acquérir la nationalité suisse depuis longtemps et en janvier 1995, il a déposé une demande de naturalisation. Il avait confié le dossier à son avocat qui a été nommé plus tard au poste de Conseiller d'État. C'est son associé, maître de Preux, qui a pris la relève.

Un préavis du canton de Genève

C'est dans le canton de Genève que l'enquête pour la naturalisation a été initiée. Yeslam a été interrogé à deux reprises : d'abord le 6 juillet 1999 par le Service cantonal de naturalisation, puis le 27 octobre suivant, par la police de la Sûreté. Lors de ce deuxième rendez-vous, il a rencontré un responsable de la Sûreté de Genève et, ce qui n'était pas prévu, un responsable de la police fédérale de Berne (Division de lutte contre le terrorisme et l'extrémisme).

Le 10 novembre 1999, il recevait de Genève un préavis positif. Si le dossier avait pris du retard, c'était notamment dû à sa demande de divorce en cours qui ne lui permettait plus de bénéficier de la procédure simplifiée de naturalisation. Il a fallu retracer tous les séjours qu'il avait effectués en Suisse depuis les années 70.

***

L'Office Fédéral de Berne donne son accord...

Le dossier est finalement envoyé à Berne qui, après enquête, donne un avis favorable. Le 17 mars 2000, l'autorisation de naturalisation est accordée par l'Office fédéral des étrangers. L'étape suivante est l'approbation de la demande par le Conseil d'État de Genève, ce qui est en principe une simple formalité.

***

...mais pas le Conseil d'État de Genève

Cependant, le temps passe et aucune nouvelle n'arrive : il semble bien que la procédure traîne. Pourtant le dossier de Yeslam remplit tous les critères requis par l'article 12 de la loi sur la naturalisation et son avocat n'a aucun doute quant à l'obtention de la nationalité suisse.

Maître de Preux contacte alors le 26 juin 2000 le Service des naturalisations de Genève.

Il apprend que le Conseil d'État a fait une demande de renseignements supplémentaires, étant donné que Yeslam est le demi-frère d'Oussama, et ceci malgré l'enquête réalisée par le canton, ainsi que le préavis positif émis au sujet de la naturalisation en novembre 1999. Quelques temps plus tard, le Conseil d'État refuse d'accorder à Yeslam le statut de citoyen suisse.

Yeslam se sent victime d'une injustice. Il sait qu'on ne peut rien lui reprocher. Pour lui cette décision est arbitraire et il décide de se battre. Il fait alors appel à Maître Guy Fontanet, habitué des milieux politiques. Il a aussi été chef du ministère de la Justice et de la Police. Réaliste et sûr de lui, Maître Fontanet s'engage dans ce dossier.

Jamais je n'aurais imaginé que le Conseil d'État puisse se laisser influencer de la sorte. Je pensais que ce n'était plus qu'une simple formalité pour que Yeslam obtienne sa nationalité. Cela faisait quinze ans qu'il vivait en Suisse.

Tous ces problèmes qui surgissaient de façon permanente étaient de plus en plus lourds à supporter. Très vite, j'ai réalisé qu'il était difficile de confier toute cette histoire à mes proches. Quand j'ai évoqué le fait que la CIA tentait d'intimider Yeslam et d'interférer dans son dossier de naturalisation, la plupart de mes amis ont pensé que je fabulais; pour eux, c'était encore une de mes plaisanteries. Mais lorsqu'ils comprirent que j'étais sérieuse, ils prirent peur pour moi et me mirent en garde.

***

Je ferais mieux de m'éloigner de Yeslam, j'étais en danger. Leur instinct de survie parlait, je ne devais pas me préoccuper de lui. Ils oubliaient l'amour et la confiance que nous éprouvions l'un pour l'autre. J'étais de nouveau confrontée à la peur des gens comme au début de notre relation. La seule différence, c'est que j'étais mieux armée et que je ne doutais plus de moi. Je découvrais ma force. J'avais une certitude, ma place était à ses côtés. Pas une minute, je n'ai imaginé le quitter. Face à toutes ces réactions, j'ai décidé de ne rien dire à ma famille afin de ne pas l'effrayer.

Je me retrouvais souvent seule face à tout cela et pour me ressourcer je me réfugiais aussi souvent que possible dans la peinture. J'avais besoin d'être hors de cette réalité qui touchait parfois à la démesure et prenait des allures de fiction.

Une ingérence étrangère

Le 27 septembre 2000, un arrêté du Conseil d'État confirme le refus d'accorder à Yeslam la nationalité suisse. Maître Fontanet, grâce à ses contacts personnels avec l'Administration, obtint rapidement l'information qu'il y avait effectivement eu une intervention étrangère dans cette décision, mais sans obtenir plus de précisions. Maître de Preux nous a confirmé que cette intervention s'était faite auprès d'une Conseillère d'État. Cette dernière aurait été à la source du refus du Conseil d'État de donner suite à la demande de naturalisation de Yeslam.

Le 19 octobre suivant, au cours d'un entretien téléphonique, Yeslam apprend de l'inspecteur de la Police fédérale à Berne qu'aucune intervention étrangère auprès du ministère fédéral des affaires étrangères n'a eu lieu et qu'en aucun cas, l'article 12 ne pourrait être invoqué dans son dossier. Le 23 octobre, Yeslam écrit à ce même inspecteur de la police fédérale : « Selon ses avocats, il y aurait eu un ou plusieurs membres du Conseil d'État de Genève qui auraient été approchés par des services secrets étrangers, dans le contexte de la procédure de sa naturalisation. Il s'agirait donc ici d'ingérence dans les affaires intérieures d'un état souverain ». Le 27 octobre 2000, les avocats de Yeslam ont déposé auprès du Conseil d'État une demande de réexamen du dossier de naturalisation, en vertu de l'article 12 qui, précisément, avait été invoqué par les autorités pour justifier leur refus.

***

L'article 12 de la loi dit que :
« Le candidat étranger doit en outre remplir les conditions suivantes :

> *a)   avoir avec le canton des attaches qui témoignent de son adaptation au mode de vie genevois;*
> *b)   ne pas avoir été l'objet d'une ou de plusieurs condamnations révélant un réel mépris de nos lois;*
> *c)   jouir d'une bonne réputation;*

d)   avoir une situation permettant de subvenir à ses besoins et à ceux des membres de la famille dont il a la charge;

e)   ne pas être, par sa faute ou par abus, à la charge des organismes responsables de l'assistance publique;

f)   s'être intégré dans la communauté genevoise, et respecter la Déclaration des droits individuels fixée dans la constitution du 24 mai 1847. »

***

Intervention de la CIA?

Le 30 octobre, Yeslam a rédigé une note à l'intention de son avocat aux États-Unis pour lui mentionner ce dont l'agent de la CIA lui avait parlé, c'est-à-dire de l'influence que les services américains auraient auprès des instances suisses. Il souhaitait savoir si Ben ou l'un de ses collègues était intervenu dans le dossier de sa naturalisation. Par la suite, l'avocat américain a rédigé une lettre à l'intention du gouvernement américain pour l'informer que Yeslam était prêt à répondre à d'éventuelles questions et à mettre tous ses livres de comptabilité à disposition, en conséquence de quoi plus personne n'interfèrerait dans sa vie. Il ne recevra aucune réponse à cette lettre.

***

Les radeaux

Yeslam a l'habitude de sponsoriser des associations ou des événements culturels. Par hasard, au mois de mai 2000, il a revu une connaissance qui gérait la partie genevoise de *l'Exposition Nationale Suisse 02* et qui lui a demandé une participation financière pour la réalisation de radeaux symbolisant les communautés suisses et étrangères qui cohabitent dans le canton de Genève. Yeslam a naturellement accepté tout en l'informant de sa demande pendante de naturalisation suisse. L'État de Genève l'avait mandaté pour réaliser ce projet et Yeslam ne voulait pas le mettre dans une situation délicate. L'inauguration prévue le mardi 12 décembre 2000 a été annulée car le 8 décembre, le Conseil d'État genevois se serai rendu compte que Yeslam en était le sponsor principal. Comme il était le demi-frère d'Oussama, terroriste présumé, et qu'il avait une demande de naturalisation en cours, le gouvernement ne voulait prendre aucun risque.

Les listes de mécènes sont régulièrement communiquées aux autorités; il paraît donc peu probable que le nom de Yeslam n'ait été découvert sur la liste que le vendredi 8 décembre, soit quatre jours avant l'inauguration ! Il faut cependant rappeler que Yeslam avait fait l'objet d'une enquête du gouvernement qui, n'ayant rien trouvé à lui reprocher, avait déjà donné son aval pour son dossier de naturalisation avant de l'envoyer à Berne. Malgré cela le Conseil d'État a quand même annulé la cérémonie d'inauguration.

D'autres sources nous ont appris que la conseillère d'État évoquée précédemment, et qui avait déjà émis un avis négatif quant à la naturalisation de Yeslam, alors que Berne avait donné son feu vert, aurait au vu du carton d'invitation, exigé l'annulation de la cérémonie.

Nous avons alors pensé que, comme Ben avait échoué dans sa tentative de recruter Yeslam comme collaborateur, il aurait fait en sorte que sa demande de naturalisation n'aboutisse pas. Il avait bien laissé entendre que l'organisation pour laquelle il travaillait avait le bras long en Suisse. Il aurait ainsi exercé son influence sur le Conseil d'État. Tout cela a paru dans les journaux. Des fuites s'étaient produites. C'est à la suite de la publication d'un article que Yeslam a fait paraître une déclaration disant qu'il était « stupéfait et profondément blessé par les propos rapportés par le journal, qu'il vivait en Suisse depuis une vingtaine d'années, qu'il avait subventionné diverses initiatives, entre autres celle des radeaux des communautés ». Il a ensuite répété qu'il se tenait à la disposition des autorités si elles avaient besoin d'informations complémentaires. C'est ainsi que la demande de naturalisation de Yeslam a été connue du grand public. Régulièrement, des articles rendaient compte de l'avancement du dossier. Mais aucune photo de lui n'avait encore parue dans la presse.

Enfin, au début de février 2001, les avocats de Yeslam envoient une lettre à la Présidente de la Commission de réexamen en matière de naturalisation : Maître Fontanet écrit « qu'un des responsables du ministère de la lutte contre le terrorisme et l'extrémisme, à l'Office fédéral de la police à Berne, est intervenu auprès de lui. [...] Ce responsable lui a indiqué, en l'autorisant à citer ses propos, que « le dossier de Yeslam Binladin ne contenait aucune demande de renseignements supplémentaires ni d'information complémentaire de quelque nature que ce soit qui contredise l'autorisation fédérale qui fut accordée à Yeslam Binladin le 17 mars 2000. » Ce commissaire adjoint lui aurait même signalé un article consacré à Yeslam Binladin dans *Le monde du Renseignement* n° 396 du 21 décembre 2000 et lui en aurait envoyé copie. Le titre en est « *Pressions de la CIA sur un frère Bin Laden* ».

Dans cette même lettre, l'avocat de Yeslam ajoute : « Je vous laisse juge des interventions intempestives et mal intentionnées de plusieurs intermédiaires américains auprès de notre gouvernement cantonal, qui pourraient avoir comme conséquence une plainte en contrainte à leur encontre puisqu'ils se seraient livrés en Suisse, sur un habitant étranger pacifique, à des menaces qui pourraient tomber sous le coup du droit pénal. […] Par ailleurs, Monsieur Yeslam Binladin considère comme purement diffamatoires les propos attribués à ces "sources judiciaires helvétiques" totalement inconnues, qui affirmeraient, sans être mieux définies, qu'il existerait des liens notamment financiers entre la *Saudi Investment Company* et le terroriste Oussama Ben Laden, ce qui, pour le surplus, est totalement contesté. » Le responsable de la lutte contre le terrorisme à l'Office fédéral de la Police a reçu copie de cette lettre.

***

Yeslam refuse de quitter le canton de Genève
À la fin du mois de mars 2001, la presse locale croit détenir un scoop en écrivant que Yeslam a décidé de quitter le canton de Genève pour aller s'installer à Gstaad, dans le canton de Berne. Il est exact que Yeslam avait pris à l'époque contact avec les autorités bernoises. Nous

avions été très bien reçus par tous ces dignitaires qui étaient choqués de ce qui se passait dans le canton genevois. Ils étaient prêts à lui accorder un forfait fiscal afin qu'il vienne s'installer à Gstaadt. Je pense que tout ce qui est arrivé à Genève ne se serait jamais passé ainsi dans le canton de Berne.

Déménager n'était pas la meilleure des solutions

Bien avant tous ces problèmes de naturalisation, nous avions envisagé d'acheter un chalet près du centre-ville de Gstaadt. Cependant déménager n'était pas la meilleure des solutions. Yeslam se trouvait dans une situation délicate et il a finalement décidé de rester à Genève pour se battre : « N'est-il pas vrai qu'une personne ne peut être accusée sans preuve ? »

À la fin du mois de mars 2001, la Commission du Grand Conseil de réexamen en matière de naturalisation a reçu une lettre confirmant l'intention de Yeslam de demeurer dans le canton de Genève et d'acquérir la nationalité suisse.

***

Qui ne dit mot... ne consent pas toujours

Le 2 avril 2001, Maître de Preux écrit à la Commission du Grand Conseil en matière de réexamen de naturalisation afin de pouvoir recevoir une copie de la lettre que le Conseil d'État a dû leur faire parvenir. Cette lettre donnerait les motifs du refus de naturalisation. Yeslam dispose du droit de prendre connaissance du dossier et d'en recevoir une copie. Avant même son audition du 4 avril, son avocat avait aussi écrit une lettre pour prendre connaissance du contenu du dossier que le Conseil d'État avait constitué contre lui, mais il n'a reçu aucune réponse.

Yeslam s'est présenté le 4 avril 2001 à la Commission de réexamen. Il fut établi lors de cette audience que le Conseil d'État avait fondé son refus sur des informations contenues dans un livre écrit par Richard Labévière. Or, ce livre rapporte de fausses informations concernant les activités de la société genevoise dirigée par Yeslam, la *Saudi Investment Company*. En effet, sa société y est décrite comme une plaque tournante de transferts de fonds, provenant, entre autres, de membres de la famille Bin Ladin et qui seraient destinés à Oussama et à son réseau. Le Conseil d'État a considéré que si Yeslam ne s'était pas opposé au contenu de ce livre, cela sous-entendait que les informations rapportées par le journaliste étaient vraies. Ce document truffé de fausses informations, était le seul porté au dossier de Yeslam...

***

Un livre qui ne méritait pas de publicité
Il faut savoir qu'à l'époque, lorsque le livre du journaliste a paru, Yeslam avait aussitôt consulté son avocat. Les deux hommes en étaient arrivés à la conclusion, évidente pour eux, que de porter plainte contre le journaliste lui procurerait une publicité gratuite que son livre ne méritait pas. Finalement, bien plus tard, une plainte pénale fût déposée contre ce journaliste. Cette affaire n'aura

pas de suite, car le livre, selon le Tribunal de Genève, ne portait pas préjudice à Yeslam. Voilà l'avis du Tribunal, et ce, en dépit du fait que l'auteur du livre véhicule des propos mensongers sur la *Saudi Investment Company* et sur Yeslam.

***

Une ineptie juridique

Suite à cette audience, une lettre est envoyée à la Commission de réexamen le 11 avril 2001. Maître de Preux écrit : « J'interviens pour Yeslam Binladin dans la suite de votre audience du 4 avril 2001. [...] C'est pour vous confirmer ici que c'est sur mon conseil que Yeslam Binladin n'a pas, lorsqu'il a eu connaissance de l'existence du livre de Richard Labévière, réagi publiquement ou par voie judiciaire. J'estimais en effet à l'époque qu'il valait mieux ne pas réagir, plutôt que de donner du corps à ce brûlot, dont les passages qui concernent mon mandant sont catégoriquement contestés et inventés de toutes pièces, conseil que Yeslam Binladin a sagement suivi. »

« C'était sans compter avec l'attitude choquante du Conseil d'État qui, si nous avons bien compris, consiste non seulement à retenir que ce livre vaudrait mieux que les rapports des enquêteurs de la Confédération et du Canton de Genève, dont je rappelle qu'ils sont tous favorables à la naturalisation de l'intéressé [...].

Notre mandant, Maître Guy Fontanet et moi-même sommes profondément heurtés de découvrir que le Conseil d'État se rangerait du côté de ceux qui estiment qu'un accusé, même hors toute procédure, doit faire la démonstration de son innocence. Cette vision est une ineptie juridique, elle appartient à des temps reculés dont nous sommes heureusement sortis depuis longtemps et relève, semble-t-il, d'un acte, ou plutôt d'une omission de mauvaise politique que nous demandons au Grand Conseil de bien vouloir réparer.

Je vous confirme, cela étant, que Yeslam Binladin a déposé plainte pénale contre Richard Labévière, mieux encore pour lui, le Ministère public a considéré que l'ouvrage incriminé ne comportait rien de diffamatoire contre lui. […] Je rappelle enfin que si le Ministère public avait considéré que les accusations de Richard Labévière revêtaient un caractère de vraisemblance, une information pénale aurait été ouverte, ce qui n'est pas le cas. »

Après le rendez-vous qu'il a eu avec la Commission de réexamen et où il a appris sur quoi s'était fondé le refus du Conseil d'État, Yeslam a compris qu'il n'obtiendrait jamais copie de son dossier compte tenu du fait que le motif invoqué du rejet est illégal. On ne peut pas refuser d'accorder la nationalité à un citoyen en fondant son jugement sur des écrits mensongers. Dans ce cas-là, le Conseil d'État n'a pas tenu compte de la présomption d'innocence qui doit prévaloir pour tout citoyen.

***

L'unanimité en faveur du recours de réexamen
Le jeudi 10 mai 2001, selon l'article du journal le *Courrier*, le Grand Conseil genevois a décidé contre l'avis

du Conseil d'Etat d'accorder la nationalité suisse à Yeslam. Le Grand Conseil n'a pas été convaincu par le motif invoqué par le Conseil d'État pour refuser d'accorder la nationalité suisse à Yeslam. Le seul motif retenu était son lien de parenté avec Oussama, sans aucune autre explication.

Juste avant le vote décisionnaire, la Conseillère d'État qui avait mené la charge contre Yeslam serait venue d'elle-même devant le Grand Conseil avec une lettre disant qu'elle ne connaissait personne de la CIA...

Le Grand Conseil a voté favorablement pour sa naturalisation à plus de trois voix contre une, la présomption d'innocence s'appliquant à tout le monde.

***

L'intervention de la CIA

La CIA a effectivement réussi à influencer certaines personnes du Conseil d'État, mais n'a pas réussi à intervenir au niveau fédéral. À Berne, le responsable de la police fédérale de la division de lutte contre le terrorisme et l'extrémisme a fait comprendre à Yeslam qu'il était indigné de voir ce qui se passait dans le Canton de Genève.

***

Rétabli dans son honneur

Le 11 mai 2001, les avocats de Yeslam transmettent un communiqué à la presse dans lequel ils déclarent « être très heureux de la solution positive apportée par le Grand Conseil au recours qu'ils avaient déposé en son temps contre le refus de la naturalisation de leur client. […] Ce dernier, Yeslam Binladin, est très reconnaissant au Grand Conseil genevois de l'avoir en quelque sorte rétabli dans son honneur en rejetant les rumeurs injustes et injustifiées qui avaient été propagées contre lui de façon anonyme d'ailleurs. […] Il se réjouit de pouvoir bientôt participer pleinement, en tant que citoyen suisse et genevois, à la vie notamment culturelle de la population genevoise. »

***

Citoyen suisse !

Le 14 mai 2001, le Service cantonal des naturalisations achemine à Yeslam un bulletin de versement destiné à payer la taxe; une fois celle-ci acquittée, le Conseil d'État émet un arrêté octroyant à Yeslam la nationalité suisse et genevoise. Puis vient le temps de prêter serment en qualité de citoyen genevois devant le Conseil d'État. Deux jours plus tard, le Conseil d'État émet un arrêté disant que Yeslam est admis à la qualité de citoyen genevois, ressortissant de la commune de Genève, à la date de la prestation de serment, et que, donc, l'arrêté du Conseil d'État du 27 septembre 2000 est annulé.

***

Rien n'a été divulgué

En Suisse, les noms des personnes attendues lors de la cérémonie officielle de remise du passeport et la date de cet événement sont communiqués dans la *Feuille d'Avis Officielle*. Mais pour Yeslam, rien n'a été mentionné. Ses avocats avaient fait une demande spéciale expliquant le désir de leur client de ne pas faire connaître au public le jour de son assermentation afin d'entourer cet événement de toute la discrétion possible.

Nous sommes allés ensemble à la cérémonie qui a eu lieu à l'Hôtel de Ville de Genève. Je me souviens d'un huissier qui était en service ce jour-là et qui a tenu à serrer la main de Yeslam pour le féliciter de s'être battu : il lui a dit sa fierté de voir qu'il avait finalement obtenu le passeport suisse. C'était très touchant. Les gens se rendaient compte qu'il y aurait eu une injustice si la nationalité suisse ne lui avait pas été accordée.

Toute cette affaire a créé une vraie polémique à Genève. Sans que nous le sachions, plusieurs de nos amis avaient pris la défense de Yeslam, ils étaient choqués de la tournure prise par cette affaire.

***

La sympathie de beaucoup de gens et d'amis

J'avais rencontré Gabrielle, lors d'un gala de charité. J'avais tout de suite apprécié son naturel et sa personnalité. Yeslam la connaissait, elle et son mari, depuis de nombreuses années. Elle n'a pas eu peur de prendre position dès qu'elle a compris que Yeslam pourrait se voir refuser la nationalité suisse. Elle lui offrit son aide. Elle fait partie de ces rares personnes que j'ai rencontrées qui, dans ce monde d'argent et d'excès, ont su garder une intégrité et une gentillesse sans limites.

Erika Wanner a aussi manifesté son appui à Yeslam. Elle a écrit à Maître Fontanet pour lui dire qu'elle le connaissait et qu'elle l'appréciait beaucoup. Au fil des années, elle a toujours pu compter sur son soutien et son amitié. Elle trouvait qu'il méritait d'obtenir le passeport suisse et elle se tenait à sa disposition pour apporter son témoignage si cela était nécessaire.

C'était touchant de voir que Yeslam avait la sympathie de beaucoup de gens et à quel point il était entouré. J'ai eu l'agréable surprise de recevoir un appel de deux de mes amis, l'un vigneron et l'autre architecte. Ils étaient scandalisés par le refus du gouvernement genevois d'accorder à Yeslam la naturalisation suisse alors qu'il vivait à Genève depuis quinze ans sans jamais avoir eu le moindre problème avec les autorités. Ces amis ont écrit un article qui est paru dans plusieurs journaux locaux, sous la rubrique *Courrier du lecteur*.

***

Plus aucune nouvelle de l'agent de la CIA

Nous n'avons plus jamais entendu parler de Ben, l'agent de la CIA. Quant à l'*Agence*, nous avons appris, à nos dépens, qu'elle dispose de contacts privilégiés dans plusieurs milieux et qu'elle jouit d'une dangereuse capacité d'ingérence.

Garder confiance

Il aura fallu plus d'une année après l'accord donné par Berne, le 17 mars 2000, pour qu'enfin Yeslam puisse obtenir son passeport suisse le 11 juin 2001. Pendant toute cette période où j'étais à ses côtés, j'ai réalisé combien on peut se sentir démuni face à une injustice. Tous les jours nous pensions que le gouvernement réaliserait qu'il commettait une erreur. Avec le temps, il a fallu accepter l'arbitraire et apprendre à se battre.

Ce qui pouvait apparaître comme une fiction est devenu pour nous une réalité oppressante. La CIA avait mis ses menaces à exécution. Nous n'avions jamais imaginé qu'elle puisse exercer aussi facilement son influence au sein du gouvernement genevois.

Chaque mois passé nous confrontait à de nouvelles interrogations. Mais heureusement nous étions entourés de personnes compétentes et soucieuses de faire respecter la loi. Et surtout nous n'avons jamais douté que la justice soit rendue. Yeslam m'a appris à ne pas être déstabilisée par ce qui peut arriver et à ne pas perdre confiance quand on est dans le juste.

Nous avions conscience qu'il était privilégié. Il avait les moyens de faire en sorte que sa cause soit entendue. Je réalisais que des personnes étrangères, sans ressources financières et sans connaissance des lois suisses, auraient eu les plus grandes difficultés à faire respecter leurs droits.

Chapitre 10

SEPTEMBRE 2001 : LA FIN DE L'INNOCENCE

Un été sans nuage – Les dernières heures d'insouciance – La fin d'une époque de tranquillité – Le 11 septembre – Pendant ce temps à Genève – Pendant ce temps-là à Paris – Le choc – Le 12 septembre – On se réfugie à l'hôtel – On tente de retracer un noircissement d'argent – Laisser un fils derrière soi – Nous risquions d'être mis en cause.

Un été sans nuage

L'été 2001 fut enfin celui de la tranquillité retrouvée, du bonheur partagé. Nous pouvions oublier tous les bouleversements passés. Yeslam avait enfin sa nationalité suisse. Nous n'avions besoin de rien d'autre que d'être ensemble, seuls et complices. Pour la première fois depuis des années, personne ne vint nous voir cet été-là. Nous n'avions aucune obligation. La vie se déroulait à notre rythme.

Ce fut un été de repos, de calme et de bien-être. Au petit-déjeuner, nous dégustions les confitures que Rolande faisait avec les fruits de la propriété. Nous profitions de la piscine, et du farniente. Nous passions souvent l'après-midi à la plage en Sardaigne. On se baignait dans une eau vert émeraude. En fin de journée, nous rentrions à Cannes pour aller dîner à Saint-Paul, à La Napoule ou à Grasse. Nous retrouvions les moments insouciants et magiques qui avaient marqué le début de notre histoire. Je faisais des promenades avec mon chien, je profitais de voir Odile et j'avais du temps pour moi. Le soir, je m'installais souvent sur la terrasse face à la baie de Cannes et là, je peignais jusque tard dans la nuit. La tempête était loin de nous. Enfin, nous allions jouir d'une vie normale.

Rabab a finalement décidé de nous rejoindre. Le 30 août, elle a atterri à l'aéroport de Nice en provenance de Djeddah, accompagnée de Romana, l'une de ses employées. Lorsque Romana l'accompagne, nous savons que nous allons faire bombance parce qu'elle cuisine divinement. C'est avec Rabab qu'elle a appris la véritable cuisine saoudienne et tous les repas exhalaient les épices parfumées ramenées d'Arabie Saoudite.

Yeslam était heureux de retrouver sa mère. C'était un moment privilégié pour lui. Il me faisait partager les souvenirs de son enfance. Nous sommes restés à Cannes jusqu'au dimanche 2 septembre. Puis, nous sommes rentrés à Genève afin que Rabab puisse obtenir l'avis d'un médecin spécialiste pour un problème de douleur aiguë au genou.

Les dernières heures d'insouciance
Le mercredi 5 septembre, nous avons atterri à Cannes, en début d'après-midi. Nous profitions de la

douceur de la fin d'été. Cannes, désertée de ses vacanciers, retrouvait le calme. Je me souviens que le samedi suivant nous avons fait du *jet-ski*. La mer était agitée d'une légère houle. Finalement, je n'ai pas vraiment apprécié le *jet-ski*, je trouvais ça plutôt violent, surtout pour le dos. J'ai préféré rester sur le bateau à contempler l'horizon. En fin de journée, nous avons retrouvé Rabab sur la Croisette pour boire un verre en sa compagnie. Nous sommes ensuite rentrés à la maison pour dîner.

Le dimanche matin, Yeslam a pris un café avec son pilote au Café Festival puis il nous a rejoint pour le déjeuner que nous avons pris sur la terrasse. L'après-midi, il est retourné sur la Croisette pour voir Patrick. Vers dix-neuf heures, nous sommes repartis pour Genève avec Rabab et Romana que Yeslam recevait chez lui.

Ce week-end d'insouciance fut en fait le dernier. Nous ne nous doutions pas que des événements se préparaient et qu'ils allaient changer et le monde et notre vie à tout jamais.

***

La fin d'une époque de tranquillité

Le lundi 10 septembre, Yeslam a pris le petit-déjeuner avec sa mère et plus tard dans l'après-midi, il a retrouvé sur la terrasse du Mövenpick son frère Ibrahim qui venait d'arriver des États-Unis avec sa femme et son fils. Ils s'étaient installés au Hilton à Genève et profitaient des dernières journées de vacances pour voir Yeslam et sa mère avant de retourner à Djeddah.

Quant à moi, j'étais dans le TGV à destination de Paris : le soir même, je suivais mon premier cours de théâtre. J'étais ravie même si j'avais un peu peur. J'étais aussi rassurée pour Yeslam car je savais que les problèmes étaient loin derrière lui. Je pouvais enfin prendre des moments pour moi et réaliser mes projets.

***

Le 11 septembre

Le mardi, à la fin du cours, je suis rentrée à pied chez moi pleine de nouvelles émotions. C'était un monde nouveau, je n'avais aucun repère. J'étais pleine de sensations qui me rappelaient celles que j'avais éprouvées en découvrant le monde de l'aviation avec Yeslam. Je devais tout apprendre, j'étais perdue. Je ne comprenais pas vraiment ce que l'on me demandait. C'était intéressant de ressentir des émotions inconnues. En chemin, j'ai décidé de m'arrêter sur les Champs-Élysées pour voir un film.

***

Le premier avion a heurté une des tours du *World Trade Center* à 8h50, heure des États-Unis, soit à 14h50, heure de Paris. Au premier impact, les médias ont cru à un accident mais dès le second, survenu quelques minutes plus tard, ils ont eu la certitude que c'était effectivement un attentat terroriste.

Pendant ce temps à Genève

Ce jour-là, le monde était loin de se douter qu'un drame se préparait. À neuf heures trente, Yeslam prenait tranquillement le petit-déjeuner avec sa mère et il a ensuite rejoint à onze heures trente à *La Clémence* un ami de la Suisse allemande de passage à Genève. Ils ont ensuite déjeuné au café *Papon* dans la Vieille-Ville.

À quinze heures, Yeslam a raccompagné son ami à l'aéroport de Genève. C'est à ce moment-là que son courtier de Londres lui a appris par téléphone la terrible nouvelle: un avion avait percuté l'une des tours jumelles à New York. Après avoir déposé son ami, Yeslam s'est dirigé vers le Hilton. Tom l'a rappelé pour lui dire qu'un deuxième avion venait tout juste de percuter la deuxième tour du *World Trade Center* et que l'espace aérien américain venait d'être fermé. Yeslam a compris qu'un événement sans précédent venait de se produire.

En raison du trafic, il n'est arrivé qu'à dix-sept heures au Hilton. Sa mère, son frère Ibrahim, sa femme Mounira et leur jeune fils l'attendaient. Ensemble ils regardaient la télévision, complètement choqués: un spectacle sans nom était diffusé sur toutes les chaînes. En boucle, les images défilaient, n'épargnant aucun détail; c'était un cauchemar. C'est alors que le nom d'Oussama Ben Laden a commencé à circuler. À cause des attentats perpétrés en Afrique, on avait fait rapidement le rapprochement. Ce dernier était suspecté d'être à l'origine de toute cette horreur qui s'étalait aux yeux du monde.

***

Pendant ce temps-là à Paris

En sortant du cinéma, j'avais plusieurs messages de Yeslam sur mon téléphone. Il voulait que je le rappelle de toute urgence. J'étais inquiète : « Lui était-il arrivé quelque chose? » Au téléphone, il m'a demandé si j'avais vu les informations télévisées; évidemment ce n'était pas le cas. « Rentre tout de suite, regarde la télévision et appelle-moi » me dit-il. J'étais interloquée; au ton de sa voix, j'ai compris que quelque chose n'allait pas. J'ai insisté pour en savoir plus, mais il n'a rien voulu me dire. Il voulait que je constate les faits par moi-même. Je me suis précipitée chez moi, j'ai allumé le téléviseur et là, sur toutes les chaînes, j'ai découvert l'horreur. J'étais anesthésiée par la violence des images. Je lui ai retéléphoné, anéantie. Qui pouvait avoir conçu un tel scénario ? Pourquoi ? « Rentre à Genève ! Rejoins-nous au Hilton; j'y suis avec ma mère qui a fait un malaise; je crains que le nom d'Oussama soit associé à tout cela » m'a t-il dit.

J'avais tellement aspiré à un retour à une vie normale que ce que j'entendais m'était insupportable. Évidemment nous n'avions rien qui puisse confirmer qu'Oussama était impliqué, mais je ne voulais plus entendre parler de problèmes : nous avions eu notre lot de soucis. J'ai préféré rester à Paris. Je sentais que je n'aurais pas la force de faire face aux angoisses de sa famille. Intuitivement je percevais que je devais me préserver pour pouvoir affronter ce qui suivrait. J'étais seule, je ne connaissais personne à Paris. Je suis restée un moment devant la télévision, atterrée par cette violence. J'ai du éteindre, car tout cela m'atteignait beaucoup trop. Ce jour-là, j'ai senti que je n'avais plus eu la force d'affronter encore des problèmes. Je n'avais aucune envie d'être mêlée de quelque manière que ce soit à ce désastre.

***

Le choc

Yeslam avait appelé SOS Médecin afin que sa mère soit examinée rapidement. Le carnage et la suspicion qui planait sur Oussama l'avaient rendue malade. Le médecin, conscient de l'état de choc de sa patiente, est resté assez longtemps auprès d'elle, bien que son état n'inspirait plus aucune crainte. Même si chaque mère du clan Bin Ladin a une position bien définie, une situation bien distincte de celle des autres dans l'échiquier familial, il n'en reste pas moins qu'elle a été bouleversée que l'un des enfants du clan puisse être associé à cette horreur.

Plus tard dans la soirée, Yeslam et Ibrahim ont essayé de joindre par téléphone leur frère Khalil qui se trouvait en Floride avec sa famille. Khalil était cloîtré chez lui avec les siens, incapable de sortir, craignant la réaction des gens. Yeslam et Ibrahim ont pris contact avec leur frère Bakr afin de s'assurer qu'il trouve une solution pour les membres de la famille qui séjournaient aux États-Unis, soit environ une vingtaine de personnes. C'est à Bakr, à titre d'aîné, que revient la responsabilité de veiller sur toute la famille.

Ce soir-là, Yeslam a dormi à l'hôtel avec sa famille. Il ne pouvait pas rester seul dans son hôtel particulier et il voulait être aux côtés de sa mère.

***

Le 12 septembre

Le mercredi matin, en arrivant au cours de théâtre, on ne parlait que de ce qui s'était passé la veille. Je n'entendais que les mots «attentat» et «Ben Laden». En écoutant les conversations, je me suis dit qu'heureusement personne ne savait que j'étais la compagne d'un des demi-frères d'Oussama Ben Laden! Comment réagiraient-ils s'ils savaient ? J'étais effrayée.

J'avais tellement espéré vivre loin des problèmes et surtout pouvoir me consacrer aux choses qui me tenaient à coeur que j'ai ressenti un grand découragement. Je pensais trouver à Paris un havre de tranquillité. J'avais imaginé que j'aurais l'esprit libre de tous soucis, que je pourrais préserver une partie de ma vie et profiter de moments de solitude. Encore une fois, le monde de Yeslam me rattrapait, mais sans commune mesure avec ce que nous avions traversé jusque-là.

Je pense que c'est à ce moment-là que j'ai perdu l'envie de lutter. J'étais épuisée par ces années marquées d'épreuves continuelles. Sans doute ai-je eu le sentiment diffus que je devais me préserver.

J'ai ensuite pris le premier avion pour Genève. À l'aéroport Charles de Gaulle, l'ambiance était démente, le désordre le plus total régnait. Le plan Vigipirate était activé et une sécurité maximale déployée; les gouvernements du monde entier craignaient un nouvel attentat. Les employés de l'aéroport étaient sur les dents. Les gens étaient déstabilisés et désorientés.

Même si ce n'est pas dans ma nature, ce jour-là, je me suis sentie fragilisée; pour la première fois, j'ai eu peur. Je ne me sentais pas en sécurité. Je craignais qu'on découvre au cours d'un contrôle les liens que j'avais avec les Bin Ladin et les réactions et les sentiments que cela pourrait susciter. À quoi devrais-je encore faire face?

Dans l'avion, j'essayais de me ressaisir et d'imaginer mes retrouvailles avec la famille. De nouveau, il me faudrait être forte pour pouvoir soutenir Yeslam et les siens.

On se réfugie à l'hôtel

À vingt heures, j'ai retrouvé Yeslam au Hilton. « Nous ne pouvons pas rentrer chez nous parce qu'il y a des curieux devant la porte » me dit-il. Journalistes et photographes souhaitaient obtenir une interview ou une photo. J'arrivais sur la pointe des pieds; Yeslam et sa famille étaient désemparés et essayaient d'encaisser le choc. Aucun mot n'était assez fort pour leur dire ce que je ressentais. J'étais là avec eux, silencieuse. Nous faisions corps, incrédules, dépassés par cet événement incompréhensible et unis dans une même tristesse.

Le matin même à l'hôtel, à dix heures, une réunion s'était tenue avec Ibrahim, Yeslam, son avocat Jürg Brand et Charles. À quinze heures trente, à l'issue de cette rencontre, ils se sont tous rendus au bureau, pour la première fois depuis la catastrophe. Yeslam a rédigé, à l'attention de l'ambassade américaine à Berne, une lettre de condoléances ainsi qu'un communiqué de presse à l'attention des journalistes afin de dénoncer et de condamner tout acte de violence et de haine.

***

On tente de retracer un noircissement d'argent

Ce jour-là, il y avait au bureau le représentant d'une société fiduciaire qui contrôle annuellement les comptes

156

de la société *Saudi Investment Company (Sico)* dont Yeslam est l'administrateur. Ce représentant a alors décidé d'effectuer un contrôle supplémentaire afin de tenter de retracer tout noircissement d'argent, c'est-à-dire la disparition d'argent « propre ». Il fera parvenir une lettre à l'ARIF (l'Association Romande des Intermédiaires Financiers) pour signaler qu'il n'avait rien trouvé d'illégal ou de frauduleux concernant la Sico.

***

Laisser un fils derrière soi

Vers dix-neuf heures, Yeslam a retrouvé sa mère au Hilton. Ce jour-là, les frères ont pris la décision de faire rentrer en Arabie leur mère, Romana, la femme et le fils d'Ibrahim qui, lui, resterait à Genève afin d'épauler Yeslam.

Rabab voulait absolument convaincre Yeslam de rentrer avec eux à Djeddah. C'était inimaginable de laisser derrière elle l'un de ses fils dans une situation aussi délicate. Yeslam est l'un des rares membres de la famille Bin Ladin à vivre hors de l'Arabie. Jusqu'à ces évènements dramatiques, il n'avait jamais accepté d'être l'objet d'un reportage. Il préférait la discrétion. Lorsqu'il soutenait des causes philanthropiques, il demandait à rester anonyme. Lors des dîners officiels, nous avions toujours fait en sorte de ne pas être photographiés.

Cependant, à l'occasion de sa naturalisation, il avait souvent fait la une des journaux. Même s'il n'y avait jamais eu de photo publiée, on savait où le trouver, ce qui signifiait pour lui la fin de l'anonymat. Mêlé bien malgré lui à des événements historiques, il était propulsé au cœur même de l'actualité.

***

Nous risquions d'être mis en cause

Nous étions sous le choc. Nous regardions ces terribles images en permanence sur toutes les chaînes de télévision. Nous pensions aux victimes, aux familles détruites par cet acte de barbarie. Nos esprits se refusaient à croire ce que nous voyions, et pourtant il fallait bien accepter l'inimaginable.

Un autre fait était incontournable : c'était son demi-frère qui était suspecté être l'auteur principal de ces attentats. Yeslam portant le même nom de famille, on allait chercher à connaître les liens qui les unissaient.

Les attentats du *World Trade Center* et du *Pentagone* ont marqué la fin d'une époque de tranquillité et d'insouciance. On parlera désormais de « l'avant » et de « l'après » 11 septembre. Un seuil a été franchi qui nous a fait prendre conscience à quel point nous sommes vulnérables.

Chapitre 11

UN NOM POINTÉ DU DOIGT

Deux jours plus tard – Rendez-vous avec la police fédérale – La police cherche des liens entre Oussama et Yeslam – Du jour au lendemain, les choses avaient bien changé – Suspects – Suivis par des policiers en civil –Il fallait trouver une solution – Interrogatoire de Yeslam – Questions relatives à l'héritage familial et à Oussama –La famille quitte les Etats-Unis – Nous rentrons à la maison – Pendant ce temps-là en France – Une enquête policière est ouverte – Les médias s'impliquent – Yeslam refuse une rencontre avec le FBI – Yeslam accorde une première interview – Un nom de famille connu du monde entier – A chacun sa vérité – Quel futur ?

La famille Bin Ladin avait l'habitude de beaucoup voyager d'un continent à l'autre. Mais il y a eu Oussama, qui a changé la vie de tous et à jamais. Du jour au lendemain, c'en était fini de la discrétion.

Deux jours plus tard

Le jeudi 13 septembre, Bakr a envoyé son avion privé à Genève afin de ramener les membres de la famille à Djeddah. Il aurait pu s'avérer risqué pour eux de voyager sur des avions de ligne. Qui aurait pu prévoir la réaction des passagers si ce nom de famille leur était communiqué ? Mieux valait ne pas provoquer de réactions.

Après avoir pris un petit-déjeuner d'adieu tous ensemble à l'hôtel, nous sommes partis vers onze heures trente pour l'aéroport privé de Genève. À midi cinquante, Rabab, Romana, la femme d'Ibrahim et leur jeune fils ont embarqué.

C'étaient des adieux chargés d'émotion; Rabab était déchirée de laisser ses fils derrière elle. Nous étions tous fragilisés, déstabilisés, nous essayions de nous réconforter les uns les autres. Je faisais partie de cette famille et je comprenais Rabab. Quand elle est montée dans l'avion, elle s'est retournée vers moi et j'ai vu dans son regard qu'elle me confiait son fils. Je lui ai fait comprendre que je ferais de mon mieux. Même si je pouvais avoir envie de baisser les bras, je savais que je tiendrais bon auprès de Yeslam et que j'essaierais d'être à la hauteur. Je n'imaginais pas le laisser seul au moment où il avait le plus besoin de moi.

**

Rendez-vous avec la police fédérale

À dix-huit heures trente, nous sommes partis avec Ibrahim et Charles à Gstaad. Le lendemain Yeslam avait rendez-vous avec des agents de la police fédérale suisse.

J'ai assisté à la rencontre qui a eu lieu après le petit-déjeuner à onze heures trente. Yeslam connaissait déjà l'un des inspecteurs qu'il avait rencontré pour la première fois lors de sa demande de naturalisation, le 27 octobre 1999. Les inspecteurs voulaient alors savoir si Yeslam et Oussama avaient la même mère et ils désiraient en connaître un peu plus sur la famille Bin Ladin.

Les inspecteurs de la police fédérale ont été plutôt étonnés d'apprendre que le père avait eu vingt-trois femmes différentes qui avaient donné naissance à cinquante-quatre fils et filles ! Ils voulaient savoir de quelle mère et dans quel ordre étaient nés les enfants Bin Ladin, y compris Oussama et Yeslam. Pour simplifier un peu les choses, l'avocat de Yeslam leur fit parvenir une copie de l'arbre généalogique officiel, seul document véhiculant une information exacte.

La police cherche des liens entre Oussama et Yeslam
Ils voulaient réentendre quels étaient les liens entre Yeslam et son demi-frère, s'ils avaient été en contact ces dernières années et quelle était la nature des relations que Yeslam entretenait avec sa famille en Arabie. Yeslam leur a expliqué qu'avec autant de frères et de sœurs, il lui était impossible d'avoir des liens rapprochés avec tous. À la fin de cette rencontre, Yeslam a précisé qu'il restait à leur disposition pour toutes questions complémentaires.

Nous avons été agréablement surpris de constater la grande courtoisie dont ces inspecteurs suisses faisaient preuve. Nous imaginons toujours les interrogatoires tels qu'ils se passent dans les films, c'est-à-dire faits avec rudesse, brusquerie et intimidation. Ce ne fut pas du tout le cas.

***

Du jour au lendemain, les choses avaient bien changé

Nous nous demandions si nous pouvions retourner tout de suite à Cannes ou s'il valait mieux attendre que tout se calme. Mais nous savions qu'il nous faudrait bien affronter un jour ou l'autre les questions, les regards et que nous ne pourrions remettre sans cesse au lendemain notre retour en France. Le samedi 15 septembre, Yeslam, Ibrahim, le pilote et moi-même, nous sommes repartis à Cannes vers quatorze heures trente, pour y retrouver Bakr. C'était, depuis les attentats, la première fois que nous quittions ensemble le territoire suisse, non sans quelques inquiétudes.

À l'atterrissage, le co-pilote a quitté l'appareil et nous a rapidement avisés qu'il y avait des photographes postés sur le toit, probablement renseignés de notre arrivée par un membre du personnel de l'aéroport. Depuis des années, nous avions fréquenté régulièrement cet aéroport dans l'anonymat et subitement les choses avaient changé.

Normalement les contrôles douaniers français sont effectués au départ de Genève car l'aéroport est considéré comme territoire suisse et français. Ce qui explique que les passagers partant de Genève ne sont a priori plus contrôlés après leur atterrissage en France. Ce jour-là, les douaniers ont procédé à une fouille minutieuse. Nous sentions la pression, nouvelle et inéluctable. Nous aurions à subir dès lors des fouilles systématiques, ce que nous comprenions bien évidemment.

***

Suspects...

Ce jour-là, je me rappelle avoir transporté des boîtes d'œufs vides de Genève à Cannes. À l'époque, nous avions dix-sept poules, donc passablement d'œufs à ramasser. J'apportais donc régulièrement des boîtes que je remplissais et que je rapportais à Genève.

À la douane, un premier sac de voyage a été ouvert. Il contenait, entre autres choses, une dizaine de boîtes vides. Étrange ! Puis, un deuxième sac a été ouvert. Il contenait également des boîtes vides. Décidément, cela devenait suspect… La douanière était de plus en plus intriguée… L'un de ses chefs est venu à sa rescousse : elle lui a chuchoté qu'il y avait quelque chose de bizarre dans mes bagages. Pourquoi est-ce que je transportais toutes ces boîtes d'œufs vides ? Finalement, elle m'a demandé ce que je comptais en faire. Je lui ai tout simplement expliqué que j'avais beaucoup de poules qui pondaient des œufs… C'est étrange de constater à quel point même ce qui est anodin peut devenir intrigant et inquiétant… Au retour, les douaniers ont pris soin de bien vérifier si les boîtes étaient pleines d'œufs !

***

Suivis par des policiers en civil

Devant l'aéroport, je me suis arrêtée pour demander à une femme qui travaillait sur place et que je connaissais depuis des années, des nouvelles de son chien. Dès que je suis repartie, elle a été interrogée par des policiers en civil qui voulaient connaître la teneur de notre conversation. Nous avions ainsi confirmation que nous étions suivis.

Même si nous avons pu apprécier la discrétion des employés de l'Aéroport de Cannes tout au long de cette période, les regards avaient changé; ils savaient le lien de famille qui existait entre nous et Oussama. Nous n'étions plus anonymes. Je prenais acte de leur regard. Parfois j'aurais aimé savoir ce qu'ils pensaient, ce qu'ils imaginaient. Je ne pouvais rien empêcher, je devais simplement accepter ce qu'ils me renvoyaient. J'ai compris que je n'avais pas à me justifier et que de toute façon ça n'aurait servi à rien. La seule chose qui me sauvait de tous ces non-dits, c'était la force que je puisais dans notre couple. J'assumais pleinement qui j'étais et ma vie avec Yeslam, ce qui me donnait la capacité d'affronter cette situation.

Nous allions désormais être suivis sur le territoire français. Chacun de nos mouvements serait épié. Souvent lorsque Odile me rejoignait, elle me disait qu'une voiture était garée au bas de la propriété, sur la petite route. Ils ne prenaient même pas la précaution de se cacher! Nos lignes téléphoniques étaient certainement sur écoute.

J'avais la sensation qu'on nous volait notre intimité, que quelqu'un nous guettait tapi dans l'ombre. Ces surveillances créaient un sentiment de malaise. Tout était possible. Il ne fallait pas se laisser gagner par le sentiment de culpabilité. Bien que nous n'ayons rien à nous reprocher, nous comprenions la situation. Nous devions accepter cette intrusion et les laisser faire leur travail. Même si tous ces événements avaient un impact important sur nous, nous essayions de garder le même rythme de vie. C'était sans doute la seule façon de ne pas nous laisser écraser par les soupçons et les interrogations qui pesaient sur nous.

***

Il fallait trouver une solution

Le dimanche 16 septembre, Yeslam, Ibrahim et Bakr ont déjeuné ensemble à l'hôtel Majestic afin d'évoquer les possibilités de rapatriement des membres de la famille bloqués aux Etats-Unis. Ils en sont arrivés à la conclusion que Bakr devait rentrer au pays pour entreprendre, avec l'aide du gouvernement saoudien, des démarches officielles auprès de leur ambassade aux États-Unis. Il invoquerait la situation délicate dans laquelle se trouvaient des citoyens saoudiens pour les faire rapatrier. Il fallait évidemment l'accord du gouvernement américain pour que ces citoyens puissent quitter le territoire. En fin de journée, nous sommes tous rentrés à Genève et Bakr est retourné en Arabie.

***

Interrogatoire de Yeslam

Le jeudi 20 septembre à quinze heures, nous avions rendez-vous à Berne avec Monsieur Claude Nicati, substitut du procureur général de la Confédération. Ce dernier avait ouvert une enquête contre X dans le cadre des attentats de New York et il avait communiqué par téléphone une citation à comparaître à Maître de Preux afin de pouvoir interroger Yeslam. M. Nicati, assisté de trois collaborateurs, a mené l'audition de Yeslam qui était accompagné de ses deux avocats.

Yeslam a expliqué qu'il avait déjà été interrogé par la police genevoise et par la police fédérale, et il se demandait quel était l'objet du rendez-vous qu'on lui avait fixé. En fait, le procès-verbal mentionne que Yeslam devait y être entendu à titre informatif.

M. Nicati souhaitait savoir à quand remontait la dernière rencontre de Yeslam avec Oussama, et quelle était la nature de leur relation durant les trente premières années de la vie de ce dernier. Yeslam n'avait pas revu son demi-frère depuis 1981, en Arabie. Il leur a aussi expliqué que la famille avait pris ses distances à l'égard d'Oussama depuis 1994, lorsque le gouvernement saoudien avait décidé de geler ses avoirs et de le déchoir de sa nationalité saoudienne. Yeslam a proposé que les documents fournis à la police fédérale soient également transmis à M. Nicati.

***

Questions relatives à l'héritage familial et à Oussama

Puis des questions relatives à l'héritage des enfants de Mohamed ont été posées. La fortune personnelle d'Oussama provenait-t-elle de cet héritage ? La réponse a été affirmative. Yeslam savait-il dans quelles entreprises son demi-frère avait des intérêts financiers ? Yeslam l'ignorait.

Il s'est engagé à fournir un organigramme des sociétés qu'il dirige lui-même. Il les a invités à consulter ses archives qu'il tenait à leur disposition à Genève. Yeslam a par la suite répondu aux questions concernant la formation d'un pilote. Il a expliqué que lorsqu'on achète un avion, une formation de pilote peut être offerte par la société qui vend l'avion. Le plus souvent les pilotes organisent eux-mêmes leur formation payée par le propriétaire de l'avion.

Je n'avais pas été autorisée à assister à cette rencontre. À la fin de la séance, nous sommes allés boire un café. Yeslam m'a mise au courant de la teneur des entretiens avec Monsieur Nicati.

Le 24 septembre, Maître de Preux a envoyé un courrier à M. Nicati afin de transmettre l'arbre généalogique de la famille en indiquant que la liste des descendants ne concernait que les enfants communs de Mohamed Awad Bin Ladin et des épouses désignées. Il a aussi précisé que Yeslam avait quitté l'Arabie en 1985 et qu'il n'y était retourné qu'une seule fois, lors du décès accidentel du mari de sa sœur et que depuis 1985, il s'était désintéressé des affaires de la famille du fait de son éloignement de l'Arabie et des divergences d'opinions entre frères sur la manière de diriger l'entreprise.

Il a également cité les noms des pilotes d'avion qui avaient bénéficié d'une formation. Quelques informations supplémentaires ont été apportées au sujet de Patrick, ce fonctionnaire français à la retraite de la police de l'air et des frontières, avec lequel Yeslam avait sympathisé et auquel il avait offert de suivre un cours de pilotage.

Yeslam a réaffirmé que sa société, la *Saudi Investment Company,* n'avait jamais géré les avoirs financiers de la société familiale, la *Saudi Binladin Group.*

***

La famille quitte les Etats-Unis

En fin d'après-midi, nous quittions Berne et l'équipe de M. Nicati pour rentrer à Genève. Nous attendions la confirmation de l'heure d'arrivée de l'avion qui ramenait les membres de la famille de Yeslam. La veille, le 19 septembre, soit huit jours après les attentats, le rapatriement avait commencé. Ils avaient embarqué à Los Angeles, Orlando, Washington et Boston. Le 20 septembre à 20h, l'avion faisait escale à Genève après être reparti du Bourget.

Yeslam s'était rendu à l'aéroport, chez *Jet Aviation*. Il a pu parler avec Najia, l'une de ses demi-sœurs qui avait été la première à embarquer à Los Angeles. Elle lui a raconté que l'une des hôtesses s'était affolée lorsqu'elle apprit quels seraient les passagers du vol. Elle comprenait son émoi. Un agent de la police de Los Angeles supervisait apparemment le rapatriement à chacune des escales effectuées aux États-Unis afin que tout se déroule sans heurt. Sa mission prit fin à Boston. L'avion a poursuivi sa route vers le Canada pour faire le plein puis vers l'Europe et l'Arabie. Najia lui a confirmé qu'il y avait plus d'une vingtaine de membres de la famille à bord et que tout se passait bien. Puis l'avion a repris les airs vers Djeddah. Yeslam est reparti en ville et quarante-cinq minutes plus tard, il rejoignait Bakr ainsi que Shafiq qui était descendu de l'avion à Genève. C'est ainsi qu'a eu lieu le rapatriement de la famille.

Le lendemain matin, nous prenions le petit-déjeuner avec Ibrahim. En fin de matinée, Shafiq et Bakr nous rejoignaient. Après avoir passé un moment avec eux, je laissais les quatre frères à leurs difficiles retrouvailles.

Le mardi 25 septembre, Ibrahim rentrait en Arabie. Le mercredi 26 septembre, Bakr, le grand frère de la famille, s'est envolé pour Londres. Quant à Shafiq, il est resté encore quelques jours aux côtés de Yeslam.

***

Nous rentrons à la maison

Comme des journalistes et des photographes étaient toujours postés devant la porte de notre maison, nous avons prolongé notre séjour au Hilton. Le mercredi 26 septembre, nous sommes rentrés chez nous, car ils avaient finalement renoncé à poursuivre leur siège.

***

Pendant ce temps-là en France

La fille de Patrick, pendant un séjour qu'elle faisait chez sa mère, aurait raconté, en présence d'un couple d'amis, qu'un nommé Bin Ladin avait offert à son père un cours de pilotage en Floride.

À la suite des attentats du 11 septembre, ce couple d'amis aurait informé le Quai d'Orsay de la conversation qu'ils avaient eue avec la fille de Patrick: «Un dénommé Bin Ladin, qui passe du temps à Cannes, vient de payer à Patrick un stage de pilotage d'avion dans une école de Floride».

***

Une enquête policière est ouverte

Une enquête policière a été ouverte et des informations prises auprès des supérieurs directs de Patrick. Ce dernier, averti, téléphona immédiatement à Odile pour la prévenir qu'il était recherché et qu'elle serait vraisemblablement interrogée elle aussi. Le soir-même, des policiers sonnaient à la porte de son appartement. Ils voulaient avoir la confirmation que son mari avait bien suivi un cours de pilotage aux États-Unis.

Ils la questionnèrent sur sa relation avec Yeslam Bin Ladin. Elle répondit que lorsque son mari travaillait à Cannes-Mandelieu, il avait sympathisé avec Yeslam dont l'avion privé se posait régulièrement à l'aéroport. Les policiers lui demandèrent de décrire Yeslam. Elle dressa le portrait d'un homme doux et discret. Elle précisa qu'elle l'appréciait et que cela faisait presque trois ans qu'elle et son mari le fréquentaient régulièrement.

Comme Patrick n'habitait plus avec elle, elle a dû lui téléphoner afin que les policiers puissent l'interroger. Odile se souvient qu'ils ont demandé à Patrick une description des autres élèves qui se trouvaient dans l'école de pilotage en même temps que lui. Ils désiraient savoir quels étaient leurs comportements. Apparemment, c'était surtout cela qui semblait les intéresser.

***

Les médias s'impliquent

L'enquête sur Patrick n'a rien révélé. C'est un homme de bonne réputation professionnelle. Toutes les investigations le concernant se sont arrêtées rapidement. Quelques jours plus tard, un journaliste de *Nice Matin* aurait contacté Patrick qui l'aurait renvoyé auprès de ses supérieurs. Nous avons alors supposé qu'une personne proche de la famille de Patrick, travaillant dans ce journal, avait informé le journaliste qui, peu après, publiait dans *Nice Matin* un article dans lequel il établissait un lien entre Yeslam, Patrick et les kamikazes des attentats du 11 septembre !

Yeslam a alors fait paraître une riposte, en précisant bien «...qu'il n'avait nul besoin d'un quelconque passe-droit pour accéder régulièrement, comme il le faisait depuis de nombreuses années, au territoire français ». Au sujet de Patrick, il confirmait avoir simplement financé son stage de pilotage qui avait été organisé par son pilote personnel dans une école de Floride du Nord. Il s'étonnait du lien que *Nice Matin* faisait entre cette école et « les kamikazes du 11 septembre dont la presse a situé les stages d'entraînement dans des écoles de la Floride du Sud ».

Les jours suivants, des journalistes faisaient le pied de grue devant l'appartement d'Odile. Elle fit comme si de rien n'était, et se réfugia chez une voisine pendant deux jours.

Yeslam a continué à voir Patrick pendant un moment puis, avec le temps, leurs rendez-vous se sont espacés.

***

Yeslam refuse une rencontre avec le FBI

Yeslam était à nouveau cité à comparaître le 10 octobre. Entre-temps, un agent du FBI avait demandé à le rencontrer. Maître de Preux écrivit aussitôt à M. Nicati, substitut du procureur général de la Confédération, afin de savoir si cet agent pouvait rencontrer Yeslam. La réponse de M. Nicati était sans équivoque : « Une telle audition ne pourrait se faire que par la voie de l'entraide judiciaire et, selon les informations en ma possession, aucune requête de ce genre n'a été faite par les États-

Unis. C'est pourquoi une telle audition, sur sol suisse, est tout simplement impossible dans le respect strict de nos lois ». Finalement, il n'y eut aucune suite à cette demande.

Le mercredi 10 octobre, Yeslam et ses deux avocats se sont présentés au Palais de Justice de Genève à quatorze heures. Un deuxième procès-verbal sera rédigé dans lequel seront ajoutées quelques précisions.

À chaque fois que Yeslam sera interrogé par les différentes autorités, il confirmera qu'il reste à leur disposition et qu'elles ont entière liberté pour consulter ses archives. Lors de la perquisition effectuée dans son hôtel particulier, les autorités suisses ont emporté puis vérifié minutieusement tous les documents réquisitionnés. Lorsque j'ai réorganisé sa salle d'archives, je me suis aperçue que tous les papiers saisis lors de la perquisition avaient été numérotés, afin d'être répertoriés, analysés et copiés, avant d'être rendus à Yeslam.

Après les enquêtes effectuées, la Suisse a conclu qu'il n'y avait rien à reprocher aux activités de Yeslam.

***

Yeslam accorde une première interview

Après avoir reçu de multiples demandes, Yeslam a finalement décidé d'accorder une *interview* à la TSR, la Télévision Suisse Romande. Il tenait à ce qu'elle se fasse en Suisse, son pays d'adoption. C'était la première fois qu'il parlait à la télévision et qu'il commentait les événements. L'enregistrement a eu lieu le dimanche 28 octobre 2001, à quatorze heures trente, dans une suite du Hilton de Genève. À la suite de cette interview, une première photo officielle de nous deux a paru dans le magazine *Bilan*.

***

Un nom de famille connu du monde entier

Lorsque j'ai rencontré Yeslam, je ne connaissais rien de sa famille. À ses côtés, j'ai découvert la légende familiale. J'étais admirative du chemin parcouru par son père. Mohamed Bin Ladin était un bâtisseur qui a su créer un véritable empire alors qu'il ne savait ni lire ni écrire; avant-gardiste, doté d'une grande aura, il savait convaincre pour mener à bien des projets qui pouvaient paraître irréalisables. Sa personnalité, son savoir-faire, son talent lui ont valu respect et reconnaissance en Arabie Saoudite et dans le monde arabe.

À l'origine d'une descendance exceptionnellement nombreuse, Mohamed a imposé à ses enfants une éducation moderne qui leur permettrait de poursuivre son oeuvre et d'être ouverts sur le monde. Cette famille discrète, au savoir-vivre indéniable menait une vie sans histoire. J'ai appris à connaître et à apprécier la personnalité de ceux que j'ai rencontrés.

Du jour au lendemain, leur nom de famille est devenu tristement célèbre dans le monde, un nom désormais associé au massacre, à la mort injuste d'innocents. Je sais combien les membres de cette famille étaient choqués et que jamais ils n'auraient pu imaginer qu'un jour, de tels événements se produiraient. Que je le veuille ou non j'étais liée à cette famille. Je n'allais pas balayer mes sentiments pour Yeslam parce qu'on me le demandait.

Après les attentats, certaines personnes m'ont fait des commentaires sur la vie dangereuse que je menais. Elles s'étonnaient que je reste auprès de Yeslam et me conseillaient de m'éloigner de lui. Tout à coup, ces proches niaient la relation qui nous liait. Ils faisaient de Yeslam un étranger et ne voyaient plus en lui l'ami fidèle et l'homme que j'aimais. Je ne les reconnaissais plus. Ils s'appropriaient mon histoire. Je me suis sentie isolée. Je ne pouvais pas combattre leurs peurs et leurs angoisses. J'ai compris que personne ne pourrait entendre ma réalité. J'étais celle qui connaissait le plus Yeslam. Nous partagions tout ensemble. Il était hors de question de l'abandonner dans les moments les plus délicats de notre vie. J'étais à ses côtés pour le soutenir et l'aider de mon mieux.

Les regards et les attitudes ont changé. Certaines oeuvres de charité ont tout à coup refusé que Yeslam assiste à leurs soirées. Rien n'était dit explicitement, mais nous avions bien conscience que les gens associaient Yeslam aux événements du 11 septembre. Nous comprenions. Que dire ?

***

À chacun sa vérité

Après avoir lu des articles concernant le projet de film *Fahrenheit 9/11 de Michael Moore,* Yeslam a écrit au réalisateur afin de lui signaler certaines erreurs qu'il avait relevées. Nous avions apprécié son travail dans ses précédents films. Yeslam souhaitait lui éviter de véhiculer de fausses informations, en particulier l'inexactitude de sa thèse sur le rapatriement de la famille Bin Ladin. Entre la fin de l'année 2003 et le printemps 2004, les deux hommes ont échangé plusieurs courriers. En dépit des rectifications transmises par Yeslam, le réalisateur s'en est tenu à sa version des faits. Il a maintenu que la Maison-Blanche avait permis aux membres de la famille de quitter les États-Unis deux jours après les attentats alors que l'espace aérien n'avait pas encore été rouvert.

Du jour au lendemain, journalistes, juges, réalisateurs se sont arrogés le droit de nous expliquer ce qui s'était réellement passé. Même si nous leur signalions leurs erreurs et rétablissions les faits, ils rejetaient toutes nos affirmations. Seule comptait leur interprétation des événements. Il fallut alors accepter qu'un certain nombre d'individus, extérieurs à notre vie et à notre quotidien, prétende détenir la vérité.

Yeslam savait que dorénavant il allait se trouver régulièrement face à des personnes qui auraient des révélations spectaculaires à faire. Cela servirait leur soif de notoriété. Encore aujourd'hui cela est d'actualité, même si les enquêtes en Suisse ont conclu que Yeslam n'avait aucun lien avec une quelconque organisation terroriste et qu'on n'avait rien à lui reprocher. Il lui faudrait vivre avec le poids de ce lien familial.

***

Quel futur ?

Il semble bien, par moment, que notre futur ne sera pas grand et beau, que le néfaste prendra le pas sur le salutaire, et que l'avenir ne pourra être entrevu qu'avec pessimisme.

De plus en plus, les gens ont peur, et cette crainte les amène à juger les autres en leur mettant des étiquettes selon la religion, la race, la culture, les origines, les opinions. Saurons-nous un jour nous dépasser, aller au-delà de nos peurs et de nos préjugés et trouver le chemin de la paix?

Nous avons la liberté de diriger notre vie et de choisir nos actes. Alors, à quand des peuples et des dirigeants conscients de la richesse du monde et respectueux de la vie, des cultures et des différences ?

ÉPILOGUE

Tout a commencé comme dans les contes de fées. Il y avait un prince, des calèches, des trésors, des sorciers, des élixirs, des maléfices. Il y avait une jeune fille qui a dû apprendre à traverser des forêts, à gravir des montagnes, à se dépasser pour ne pas être prise dans les rets de l'apparence, des faux-semblants et de la médisance.

Il y a aujourd'hui une femme dont la vie est un roman. Est-ce le Créateur, l'univers ou le destin qui a présidé à cette rencontre ? Je n'ai pas de réponse si ce n'est que je suis heureuse d'avoir pu vivre cette histoire-là. Nous ne pouvions échapper l'un à l'autre. Je savais simplement que c'était écrit : Maktoub !

J'avais offert trois mois de ma vie à Yeslam et, en fait, nous avons partagé neuf années d'amour, de complicité, d'apprentissages, de combats. Ce n'est pas si long et pourtant j'ai la sensation d'avoir une vie entière derrière moi. Nous avons traversé le chemin la main dans la main, forts de notre union. La forêt magique cachait des embûches innombrables et nous avons franchi un à un tous les pièges qui se dressaient devant nous, puisant dans notre amour les ressources nécessaires pour les surmonter. Ce fut comme un voyage initiatique entrepris par la jeune femme que j'étais. Rien ne m'avait préparée à vivre dans le monde de Yeslam. J'aurais pu tomber dans les pièges d'une vie facile et me laisser porter au gré du vent. Mais notre amour avait d'autres exigences, celles de nous connaître, de nous faire confiance, de partager nos joies et nos peines.

J'ai appris à me connaître, à ne pas éviter mes parts d'ombre pour mieux les affronter et à préserver une foi inextinguible dans la vie malgré les nombreuses difficultés qui se présentaient. Je savais que mes décisions étaient justes et que je ne devais pas boire le breuvage amer de peurs et de doutes que l'on m'offrait chaque jour pour me faire vaciller. J'ai dû me faire confiance et me positionner sans trop laisser de place aux doutes quand il me fallait affronter l'incompréhension autour de moi. J'ai toujours suivi mon intuition, même si elle me menait parfois hors des sentiers battus, loin de la "normalité".

Au fur et à mesure des aventures que nous traversions, la force qui m'animait se développait autant que l'amour que je portais à Yeslam. La jeune fille avait fait place à la femme. Notre couple était ma forteresse la plus sure pour mon équilibre. Un seul regard nous donnait la note du moment. Ce fut une vie haute en couleurs.

Un matin de l'hiver 2001, Yeslam m'annonça qu'il ne m'aimait plus. J'étais effondrée par la violence de sa déclaration. J'aurai pu sombrer dans une dépression vertigineuse, mais j'ai réussi à me protéger. Ce jour-là, il n'y a eu ni cris, ni colères, ni bagarres, ni mots durs, ni reproches. Nous avions vécu tant de choses ensemble que nous ne pouvions nous déchirer. Avec élégance, nous avons changé de statut, tout simplement.

Ce matin-là, je n'ai pas voulu me battre. Si l'amour était mort, alors je devais partir. Jamais je ne pourrais l'obliger à m'aimer. La contrainte ne fait pas partie de mon monde, l'amour doit être libre de s'envoler. Quelques mois plus tôt, j'avais eu une vision qu'un changement de vie s'annonçait. On allait me donner d'autres choses à vivre, mais je n'avais pas songé que cela impliquerait la rupture. Si la vie me montrait un nouveau chemin, c'était juste. Je devais avoir confiance même si je souffrais.

C'était clair, il nous fallait désormais grandir chacun de notre côté et découvrir ce que nous valions l'un sans l'autre. J'avais ma vie à écrire, j'avais à apprendre sans lui, seule.

Ce ne fut pas facile de partir. Je ne pouvais m'imaginer vivre sans Yeslam. J'étais comme amputée d'une partie de moi-même. Nous avions vécu comme deux inséparables, jouant notre partition sur le même thème. J'étais une nouvelle soliste et il me fallait trouver mes propres accords. Cela m'effrayait, je n'avais jamais vécu seule. C'était violent, mais ces moments de solitude étaient un passage obligé.

À Genève, partout où j'allais, on me demandait de ses nouvelles. Tout me rappelait à nous. C'était douloureux.

J'avais besoin d'échapper à mon passé. Heureusement, il y a eu Paris... Et puis la douleur de la rupture s'est estompée, lentement, au fil des jours.

Cinq années ont passé depuis notre séparation. J'ai apprivoisé ma nouvelle vie. Il n'y a plus de turbulences quotidiennes et j'ai enfin un rythme de vie plus paisible. J'apprécie ces moments de liberté sans autres contraintes que celles que je me donne. Je suis dans une réalité plus proche de moi, plus simple. J'ai pu me recentrer sur mes désirs, faire du théâtre, peindre et chanter.

Quand je regarde par-dessus mon épaule et que je vois le chemin parcouru, je comprends que notre séparation était inévitable. Notre histoire d'amour avait commencé comme un joli conte de fées, baignée des lumières du sud de la France. Nous profitions de la vie, conscients des privilèges qu'elle nous offrait. Et puis, insidieusement, les difficultés ont pris le pas sur notre quotidien. Chaque jour qui se levait nous demandait une énergie toujours plus intense pour faire face aux nouveaux problèmes. Le 11 septembre a catalysé toutes nos forces pour préserver le ciment de notre couple. Il n'y avait plus de répit et il fallait sans arrêt prouver notre bonne foi aux yeux de la justice et des médias. Nous étions bouleversés par cette tragédie, mais chaque regard qui se posait sur nous portait les germes du doute. Nous avons puisé une dernière fois dans les racines de notre amour la force de faire front ensemble. Mais nous étions à bout de souffle. Nous reflétions chacun l'un pour l'autre des souvenirs trop lourds à porter. Il fallait nous tourner vers l'avenir, retrouver un peu de légèreté même si nous savions que ces événements étaient gravés à jamais dans notre mémoire et dans nos cœurs. Aujourd'hui, nous avons pu reprendre chacun les rennes de notre vie, forts de notre histoire.

Quand je regarde devant moi, j'ai le sourire et le coeur plein d'espoir. J'essaie d'aller à l'essentiel et de trouver le bonheur dans de tout petits moments. Un coin de ciel bleu, une chanson, une nouvelle rencontre donnent à ma journée une couleur d'arc-en-ciel. La vie me paraît pleine de promesses et je suis impatiente de découvrir chaque matin les nouvelles surprises que le ciel me réserve.

LA NATURALISATION

ÉCHÉANCIER

Janvier 1995 : dépôt de la demande de naturalisation. L'avocat de Yeslam se charge du dossier. Il est nommé peu de temps après Conseiller d'État, son associé, maître de Preux, lui succède.

Le canton de Genève commence l'enquête pour la naturalisation.

Interrogatoires policiers :
6 juillet 1999 : interrogatoire par le service cantonal de naturalisation.
27 octobre 1999 : interrogatoire par la police de la Sûreté. Yeslam Bin Ladin rencontre un inspecteur de la police de la Sûreté genevoise et un inspecteur de la police fédérale de la Division de la lutte contre le terrorisme et l'extrémisme travaillant à Berne.

10 novembre 1999 : réception d'un préavis positif au sujet de la naturalisation.

17 mars 2000 : autorisation de naturalisation de l'Office Fédéral des étrangers (Berne). Le dossier est transféré à Genève afin que le Conseil d'État donne son approbation (formalité).

26 juin 2000 : maître de Preux téléphone au service des naturalisations de Genève et apprend que le Conseil d'État a demandé un rapport de renseignements supplémentaires, motivé par l'existence d'Oussama, le demi-frère de Yeslam.

27 septembre 2000 : refus du Conseil d'État d'accorder la nationalité suisse à Yeslam.

19 octobre 2000 : conversation téléphonique entre Yeslam et un inspecteur de la Police fédérale à Berne qui lui confirme plus tard ce même jour qu'il n'y a eu aucune intervention étrangère auprès du ministère fédéral des Affaires étrangères.

23 octobre 2000 : correspondance de Yeslam avec le même inspecteur de la police fédérale pour l'informer que, selon ses avocats, il y aurait un ou plusieurs membres du Conseil d'État de Genève qui auraient été approchés par des intermédiaires américains dans le cadre de la procédure de sa naturalisation, ce qui est une ingérence dans les affaires intérieures d'un État souverain.

27 octobre 2000 : dépôt auprès du Conseil d'État d'une demande de réexamen du refus d'accorder la nationalité suisse à Yeslam Bin Ladin dans le contexte de l'article 12, qui aurait été invoqué par les autorités pour justifier leur refus.

30 octobre 2000 : Yeslam Bin Ladin informe son avocat américain.

16 novembre 2000 : nomination des membres de la commission de réexamen en matière de naturalisation. Madame Anita Cuénod est nommée présidente.

30 novembre 2000 : les avocats de Yeslam s'adressent par écrit au Procureur général de la Confédération à Berne.

6 février 2001 : les avocats de Yeslam s'adressent par écrit à la Présidente de la Commission de réexamen en matière de naturalisation.

28 mars 2001 : Madame Hagmann du service du Grand Conseil informe par écrit Yeslam que « nous avons été chargés par la commission de réexamen en matière de naturalisation d'établir un bref rapport à l'intention du Grand Conseil qui doit se prononcer prochainement sur votre recours. Par conséquent nous vous saurions gré de nous accorder un entretien... ».

30 mars 2001 : publication d'un article dans la presse locale sur un éventuel projet de déménagement de Yeslam Bin Ladin.

4 avril 2001 : audition de Yeslam par la Commission de réexamen, à 16 h. Il s'y rend, accompagné de ses deux avocats; ils apprennent que le Conseil d'État a fondé son refus sur un livre rapportant de fausses informations concernant les activités de la société dirigée par Yeslam, la Saudi Investment Company à Genève.

10 mai 2001 : la Commission de réexamen a voté à l'unanimité en faveur du recours de réexamen pour la naturalisation de Yeslam, puis l'a soumis au Grand Conseil afin qu'il puisse voter. Ce même jour, le Grand Conseil genevois décide, contre l'avis de la majorité de l'Exécutif cantonal, d'accorder la nationalité suisse à Yeslam Bin Ladin.

14 mai 2001 : le Service cantonal des naturalisations achemine à Yeslam un bulletin de versement pour que ce dernier puisse payer la taxe et, une fois celle-ci payée, le Conseil d'État émettra un arrêté lui octroyant la nationalité suisse et genevoise.

16 mai 2001 : publication d'un arrêté du Conseil d'État déclarant que Yeslam Bin Ladin est admis à la qualité de citoyen genevois, ressortissant de la commune de Genève, à la date de la prestation de serment, et que donc l'arrêté du Conseil d'État du 27 septembre 2000 est annulé.

11 juin 2001 à 10 h 30 : cérémonie officielle de remise du passeport à Yeslam.

AL-NADWAH , Issue No. 10706
Sunday, 10 Ramadan 1414 H.
(20/2/1994 A.D.)

BAKR BINLADEN: ALL FAMILY MEMBERS

CONDEMN OSAMA BINLADEN'S BEHAVIOR

Following reports by the media regarding Osama Muhammad Binladen, and in order to clarify his family's position towards him, Engineer Bakr Muhammad Binladen, the senior member of the Binladen family, has made the following statement:

"I myself, and all members of the family, whose number exceeds fifty persons, express our strong condemnation and denunciation of all the behavior of Osama, which behavior we do not accept or approve of. As said Osama has been residing outside the Kingdom of Saudi Arabia for more than two years despite our attempts to convince him to return to the right path, we, therefore, consider him to be alone responsible for his statements, actions and behavior, if truly emanating from him."

187

المركة السعودية للاستثمار
Saudi Investment Co.

His Excellency the Ambassador
Mr.
Consulat du
Royaume d'Arabie Saoudite
Route de Lausanne 263
1292 Chambésy

Geneva, November 3, 1999

Dear Mr.

As per our discussion of Thursday October 28, this is to inform you that I had a meeting with the Swiss Federal Police on October 27.

I have met with Mr.   and two of his colleagues in my office.

Mr.   wanted some explanations on the family and its relationship with Ossama. I explained to them the position of my family, and that there is no relationship whatsoever, we condemn his activities and that he is not a Saudi Citizen. I have provided supporting documents, and statements by the various related parties.

I have told them that you will be made aware of all our discussions, hence Mr   gave me an extra visiting card for your use.

On the other hand, and subsequent to my meeting with Mr.   First Secretary of the U.S. Embassy on March 11, 1999 on which I have written to you in due time, I have met with him on several occasions on a friendly basis, mostly for a tennis game or a lunch. On October 13, Mr.   asked if I could help him out. I told him that I wanted to stay out of this problem. That I have never been involved and never will. The subject was left at that.

I will, as usual, keep you aware of any future developments.

Yours sincerely,

Yeslam Binladin

FONTANET JEANDIN & HORNUNG
AVOCATS AU BARREAU DE GENÈVE

G. FONTANET
ANCIEN PRÉSIDENT DU CONSEIL D'ÉTAT
AVOCAT

BENOIT FONTANET
AVOCAT

DOUGLAS HORNUNG
DIPLÔMÉ À LA COUR DE JUSTICE
AVOCAT

NICOLAS JEANDIN
DOCTEUR EN DROIT, CHARGÉ À L'UNIVERSITÉ
DIPLÔMÉ EN DROIT
AVOCAT

CÉLINE WENGER
AVOCATE

NICOLAS TERRIER
AVOCAT

CHRISTINE DUNAND
AVOCATE

PHILIPPE CASTIGLIONI
AVOCAT

ALEXANDRA BUTTLER
AVOCATE

MARLÈNE EVEQUOZ
AVOCATE

CHRISTIAN D'ORLANDO
AVOCAT-STAGIAIRE

JASMINE SABETI
AVOCATE-STAGIAIRE

KNUT ISELI
AVOCAT-STAGIAIRE

ANI MOGOUTINE
AVOCATE-STAGIAIRE

Madame Anita CUENOD
Présidente
Commission de réexamen en matière de
naturalisation
Service du Grand Conseil
Case postale
12   Genève

Genève, le 6 février 2001
27/cba

Concerne :   Monsieur Yeslam BINLADIN

Madame la Présidente,

Je fais suite à la lettre que Maître Pierre de PREUX, Bâtonnier de l'Ordre des Avocats, et moi-même vous avons adressée le 30 janvier dernier.

Par son commissaire adjoint, Monsieur   de la lutte contre le terrorisme au Service d'analyse et de prévention, à l'Office Fédéral de la Police à Berne, est intervenu auprès de moi.

Il m'a indiqué, en m'autorisant expressément, à citer ses propos, que le dossier de Monsieur Yeslam BIN LADIN (BIN LADEN) ne contenait aucune demande de renseignements supplémentaires ni d'information complémentaire de quelque nature que ce soit qui contredise l'autorisation fédérale de naturalisation qui fut accordée à notre client le 17 mars 2000.

Il m'a signalé un article consacré à ce dernier dans *Le Monde du Renseignement* N° 396 du 21 décembre 2000, qu'il m'a communiqué et dont je vous remets en annexe, une photocopie.

Ce texte est intitulé *Pressions de la CIA sur un frère Bin Laden*.

Je vous laisse juge des interventions intempestives et mal intentionnées de plusieurs intermédiaires américains auprès de notre Gouvernement cantonal, qui pourraient avoir comme conséquence une plainte en contrainte à leur encontre puisqu'ils se seraient livrés en Suisse, sur un habitant étranger pacifique, à des menaces qui pourraient tomber sous le coup du droit pénal.

Par ailleurs, Monsieur Yeslam BINLADIN considère comme purement diffamatoires les propos attribués à ces «sources judiciaires helvétiques» totalement inconnues, qui affirmeraient, sans être mieux définies, qu'il existerait des liens notamment financiers entre la Saudi Investment Company et le terroriste Oussama BEN LADEN, ce qui, pour le surplus, est totalement contesté.

Dans ces conditions, en plein accord avec Maître Pierre de PREUX, Bâtonnier de l'Ordre des Avocats, nous vous confirmons la requête que nous avons adressée au Conseil d'Etat le 27 octobre 2000, que vous êtes en train de traiter, et nous vous prions d'avoir l'obligeance d'y donner la suite qu'elle implique.

Croyez, Madame la Présidente, à l'assurance de mes sentiments distingués.

Guy FONTANET

Copie: à l'Office Fédéral de la Police, Service d'analyse et de prévention, Commissaire
             adjoint   Chef de la lutte contre le terrorisme

<u>Annexes</u>:   ment.

Yeslam Binladin
Genève

By fax (**) and mail**
Ambassade des Etats-Unis
His Excellency the Ambassador
Mr. Mercer Reynolds
Jubiläumstrasse

Geneva, September 12, 2001

Your Excellency,

I would like to express my deep sympathy to the victims which were killed or hurt by the yesterdays attack by criminal terrorists and to their families and the American people.

All life is sacred and it is our duty to protect it. Whoever planned or executed this act of terrorism and whatever his or her reasons were, they will not be able to destroy the values of liberty and humanity.

Please find enclosed a copy of my today's declaration sent to the press condemning this act.

Yours faithfully,

Yeslam Binladin

191

COPIE

place des Florentins
Case postale
Genève
Tél.   (+41 22)
Téléfax (+41 22)
E-mail:

RECOMMANDE

ASSOCIATION ROMANDE
DES INTERMEDIAIRES FINANCIERS
8, rue de Rive
1204 Genève

Le 16 novembre 2001

SAUDI INVESTMENT COMPANY SICO S.A.

Messieurs,

Le 20 septembre 2001, nous vous remettions notre rapport d'organe de contrôle externe pour la période du 1er juillet au 30 juin 2001.

Ce rapport confirmait que les déclarations émises par notre cliente pour la période sous revue étaient conformes aux exigences légales et aux règlements de l'ARIF.

Afin de remplir notre mission, nous avions contrôlé les dossiers de la société le matin du 11 septembre 2001. Notre connaissance des activités de la société SAUDI INVESTMENT COMPANY SICO S.A., le nombre restreint de ses clients ainsi que le volume des transactions, nous avait permis de réaliser nos analyses rapidement.

On sait les événements tragiques qui eurent lieu aux Etats-Unis le 11 septembre 2001 et dont nous eûmes connaissance en Europe durant l'après-midi du même jour. Très rapidement, le nom de M. Oussama Ben Laden fut cité par les Etats-Unis comme commanditaire présumé des attentats qui auraient été commis par des membres de l'organisation Al-Qaida dont il fait partie.

Or SAUDI INVESTMENT COMPANY SICO S.A. est détenue par M. Yeslam Bin Ladin, citoyen suisse, domicilié à Genève qui est le demi-frère de M. Oussama Ben Laden. Bien entendu, il semble pertinent de le rappeler, notre mission en tant qu'organe de révision externe au sens de la LBA vise les relations contractuelles que l'intermédiaire financier noue avec des tiers, et le contrôle de ses obligations au sens des articles 3 à 11 de la LBA vis-à-vis de ces mêmes relations d'affaires.

Membre de la Chambre fiduciaire

Toutefois, en raison du lien de parenté entre l'actionnaire de notre cliente et le terroriste présumé, nous avons décidé, le 12 septembre 2001, de procéder à un second contrôle de notre cliente – plutôt motivé par des considérations politiques que par des risques de violation de la LBA ou des règlements de l'ARIF. Nous nous sommes donc rendu à trois reprises sur place, pour un total d'environ quinze heures de travail et avons (ré)examiné intégralement les dossiers. Vu le contexte susmentionné, nous avons voué une attention particulière à détecter le phénomène inverse de celui décrit à l'article 305 bis CPS : les mouvements de fonds qui seraient à l'origine licites et qui deviendraient illégaux au sens des articles 6 lit. a deuxième phrase LBA. Du noircissement d'argent en quelque sorte.

Ces contrôles nous permettent de vous informer de ce qui suit :

D'une part, nous vous confirmons à nouveau que SAUDI INVESTMENT COMPANY SICO S.A. satisfait aux dispositions de la loi fédérale concernant la lutte contre le blanchiment d'argent dans le secteur financier du 10 octobre 1997 de même qu'à celles des règlements de l'ARIF.

D'autre part, considérant l'Ordonnance du Conseil Fédéral instituant des mesures à l'encontre des Taliban du 2 octobre 2000 (RS 946.203) et son annexe N° 2 adaptée le 25 octobre 2001 listant les personnes physiques et morales susceptibles d'être impliquées dans le financement du terrorisme, qui reprend les listes publiées par le Département du Trésor des Etats-Unis, sous l'impulsion de M. le Président Georges William Bush (executive order 13224), nous pouvons confirmer que SAUDI INVESTMENT COMPANY SICO S.A. respecte les dispositions de l'Ordonnance Taliban en particulier son article 4.

Nous espérons que la présente satisfait votre requête.

Veuillez agréer, Messieurs, l'assurance de notre considération distinguée.

COFES S.A.

F. KRAFFT   A. SEMBOGLOU

193

Procureur général suppléant: Claude Nicat
Secrétariat:
3003 Berne
Tél.:
Fax:

Maître Pierre de Preux
Avocat

Affaire no :

R   - 7 AVR. 2004

1206 Genève

Berne, le 2 avril 2004

Monsieur Yeslam Binladin

Maître,

Dans le prolongement de notre entretien téléphonique de ce jour, je vous confirme que :

1. Dans le cadre d'une demande d'entraide judiciaire des autorités françaises nous avions procédé au séquestre d'un certain nombre de documents bancaires et autres liés à M. Yeslam Binladin.

2.

3. L'examen desdits documents séquestrés n'a pas amené les autorités judiciaires suisses, in concreto le Ministère public de la Confédération (MPC), à ouvrir une procédure pénale contre votre client.

4. A ce jour, le MPC n'a pas ouvert une quelconque procédure pénale contre votre client.

Veuillez agréer, Maître, mes salutations distinguées.

LE PROCUREUR
GÉNÉRAL SUPPLÉANT

Claude Nicati

194

Yeslam BINLADIN

1206 Geneva
Switzerland

To: Michael Moore

New York, NY
U.S.A

Geneva, December 01 , 2003

Dear Sir,

I read with great interest your article that appeared in the Magazine Rolling Stone
of Octobre 30, 2003. There are some untruth in this article which I shall come back
to later.

Let me start first by telling you how much I appreciate you work and your methods. All
possible venues to get to the truth and improve our lot is admirable. You do it with a lot
of charisma.

I have been living in Switzerland for the past 17 years.

May I come back to your article and correct the following points.

First. My family members did not fly in U S airspace when the latter was closed for civil
aviation. They flew in and then out of the U S when the airspace was re-opened for civil aviation.

Second. It is true that few questions were asked at the time when my family left the country ,but
let me remind you that prior to September 11 the family was checked thoroughly and several
senior members of the family were interviewed by the US authorities.

Third. There were none of the Brothers and Sisters of the Binladin Family at the wedding of
Ossama's son, any statement to the contrary is untrue.

I do hope that I will get the chance to meet with you on one of your upcoming trips to Europe.

Thanking you for your time, I remain

Yeslam Binladin

Michael Moore

New York, New York 10

Mr. Yeslam Binladin

1206 Geneva
Switzerland

23 January, 2004

Dear Mr. Binladin:

I received your letter and I want you to know how much I appreciate your kind and generous words about my work.

I also want to thank you for writing to make known your concerns about the *Rolling Stone* article. I would like to accept your invitation to meet and to discuss in further detail the points that you raised.

You may be aware that I am making a documentary about America in the aftermath of September 11th and the U.S. government's misguided "war on terror." My goal is to make a film that challenges and inspires Americans to think differently about ourselves, our country, and the world community.

I will be in Europe with my film crew at the end of March and hope you might be available to meet at a time and date of your choosing.

Again, thank you for writing. I can be reached at my office at   or via my producer's email: or her cell phone:

Yours sincerely,

Michael Moore

P.S. I am a great admirer of Lars Von Trier's work and am grateful for his contributions to cinema. Thank you for your support of his work!

196

TABLE DES MATIÈRES